Pilze der Heimat

Eugen Gramberg

Title: Pilze der Heimat

Author: Eugen Gramberg

This is an exact replica of a book published in 1913. The book reprint was manually improved by a team of professionals, as opposed to automatic/OCR processes used by some companies. However, the book may still have imperfections such as missing pages, poor pictures, errant marks, etc. that were a part of the original text. We appreciate your understanding of the imperfections which can not be improved, and hope you will enjoy reading this book.

 Book Renaissance
www.ren-books.com

DIE PILZE UNSERER HEIMAT

von E. GRAMBERG

Schmeil's naturwissenschaftliche Atlanten

Pilze der Heimat

Schmeils naturwissenschaftliche Atlanten

Pilze der Heimat

Eine Auswahl der verbreitetsten eßbaren, ungenießbaren und giftigen Pilze unserer Wälder und Fluren in Bild und Wort

von

Eugen Gramberg

Mit 130 farbigen Pilzgruppen auf 116 Tafeln, nach der Natur gemalt von Kunstmaler

Emil Doerstling

Erster Band:
Blätterpilze
(Agaricaceae)

Verlag von Quelle und Meyer in Leipzig, 1913

Druck
der Spamerschen
Buchdruckerei zu Leipzig

Vorwort.

Unsere populäre Pilzliteratur ist reich an kleinen, illustrierten Hilfsbüchern, die der ersten Einführung dienen wollen; doch gibt es nur sehr wenige größere Werke, die in künstlerischer, wissenschaftlicher und praktischer Hinsicht weiter gehenden Ansprüchen genügen. Daher nahm ich seinerzeit die Aufforderung, für die vorliegende Sammlung naturwissenschaftlicher Atlanten die höheren Pilze unserer Heimat zu bearbeiten, gern an. Nach jahrelanger Arbeit ist nun das vorliegende Werk entstanden, das ich hiermit in der Hoffnung, eine brauchbare Einführung in das interessante Gebiet geschaffen zu haben, der Öffentlichkeit übergebe.

Die größte Sorgfalt wurde — wie dies schon im Wesen der Atlanten liegt — der Herstellung der Abbildungen zugewendet, einer Arbeit, an der der Schöpfer der Tafeln, Herr Kunstmaler E. Doerstling, Königsberg i. Pr., das größte Verdienst hat. Mit welcher Hingabe und Gewissenhaftigkeit diese Abbildungen geschaffen sind, die in der ganzen Literatur einzig dastehen dürften, wird jeder leicht erkennen, der sich eingehend mit dem schwierigen Gebiete zu beschäftigen versucht.

Jede Pilzgruppe ist in ihrer natürlichen Umgebung dargestellt, d. h. so, wie sie zwischen Moosen, Flechten, Farnen und anderen Begleitpflanzen aus Nadeln, altem Laub u. dgl. hervorsprießt, auf Baumstümpfen, an Stämmen wächst und von Schnecken oder Käfern besucht wird. Jede Tafel spiegelt somit ein Stück heimischen Naturlebens wieder. Es ist anzunehmen, daß Bilder dieser Art, von denen nicht wenige als wirkliche Kunstwerke gelten können, den Beschauer mehr befriedigen als die in den meisten bisher erschienenen Werken gebotenen Abbildungen, in denen die Pilzgruppen entweder nur mit schematisch gehaltenem Moos oder Gras umgeben oder ohne jeden Zusammenhang mit ihrem Nährboden gemalt sind.

Ferner wurde jede Pilzart in natürlicher Größe dargestellt (nur bei wenigen, besonders großen Arten war dies nicht durchführbar), wodurch das Wiedererkennen in der Natur sehr erleichtert wird. Auch die sonst am besten ausgestatteten populären Werke geben die Pilze fast durchgängig verkleinert wieder, eine Maßnahme, die Anfängern das so schwierige Bestimmen der Pilze oft sehr erschwert, und durch die nicht selten völlig irrige Vorstellungen hervorgerufen werden.

Da nur wirklich zuverlässige Abbilder eine schnelle, sichere Bestimmung ermöglichen und auf nur einen Blick das erkennen lassen, was sich in der Beschreibung viel unvollkommener oder nur weitschweifig ausdrücken läßt, wurden weiter Form und Farbe jeder Pilzart aufs genaueste wiedergegeben. Bei solchen Arten, die in ihrer Färbung stark wechseln, sind stets verschieden gefärbte Exemplare ausgewählt. Der Übelstand, daß hierdurch, sowie durch die Darstellung der verschiedenen Wachstumsstadien manche Pilze dichter gruppiert werden mußten, als sie in der Natur wachsen, war freilich unvermeidlich; er erschien uns jedoch kleiner als der Verzicht auf die Fülle der Erscheinungsformen, deren Wiedergabe für das Kennenlernen der Pilze unerläßlich ist.

Die meisten Gruppen enthalten Längsschnitte oder Anschnitte, weil erst mit deren Hilfe schwierigere Arten sicher bestimmt werden können. Bei den Blätterpilzen sind stets die so wichtigen Lamellenansätze durchgezeichnet.

Die zu den Tafeln gehörigen Beschreibungen sind sehr ausführlich gehalten und frei von schwierigen Fachausdrücken. Es hielt keineswegs leicht, die vielfachen Irrtümer, die sich in den Beschreibungen zahlreicher Pilzwerke vorfinden, zu vermeiden; durch unausgesetzte Beobachtungen am lebenden Material ließ sich vieles berichtigen. Beschreibungen jedoch, die auf jedes aufgefundene Exemplar der betreffenden Pilzart zutreffen, lassen sich schon deshalb nicht geben, weil die meisten Pilze ungemein stark variieren. Eine wesentliche Hilfe beim Bestimmen dürften die genauen Maßangaben sein, die durchweg lebenden Pilzen entnommen wurden und oft stark von den Angaben andrer Verfasser abweichen. So sorgsam der Text abgefaßt wurde, so glaube ich jedoch nicht, nun auch in jedem Falle das Richtige getroffen zu haben; jede Ergänzung und Berichtigung aus dem Leserkreise wird mir daher sehr willkommen sein.

Von den 130 behandelten und abgebildeten Pilzarten sind 96 Speisepilze, 28 ungenießbare und 6 giftige Arten. Daß unter den berücksichtigten Arten den eßbaren ein so breiter Raum gewährt wurde, bedarf keiner Rechtfertigung. Es konnten unter diesen allerdings auch wieder nur die wichtigsten Beachtung finden, namentlich solche, die auffällig und leicht bestimmbar sind[1]). Unter die Speisepilze reihte ich übrigens, den neueren,

---

[1]) Mit Bedauern mußte ich manchen schönen, charakteristischen Pilz weglassen, da sonst der Preis des Buches, der trotz der außerordentlich hohen Herstellungskosten so niedrig wie möglich bemessen werden sollte, ein viel höherer geworden wäre.

auch eignen Erfahrungen folgend, eine beträchtliche Anzahl von Arten ein, die früher für giftverdächtig gehalten wurden. Von ungenießbaren Pilzen wählte ich die häufigsten aus, sowie solche, die als Vertreter der größeren Gattungen zu gelten haben, um so einen Aufbau des Systems zu ermöglichen und denen, die vielleicht zu gründlicheren Studien übergehen wollen, eine brauchbare Grundlage zu bieten[1]).

Da das vorliegende Buch zugleich praktischen Zwecken dienen möchte, erschien es durchaus geboten, die wirtschaftliche Verwendung der Pilze ausführlich zu behandeln. Auch dürfte es besonders Anfängern, die bei ihren ersten Bestimmungsversuchen oft unglaubliche Verwechslungen begehen, willkommen sein, daß bei den schwierigeren Arten ähnlich aussehende Pilze kurz gekennzeichnet sind.

Bei der Benennung der Pilze wurden diejenigen deutschen Namen bevorzugt, die die am meisten charakteristische Eigenschaft der Pilzart möglichst kurz[2]) und treffend bezeichnen; denn nur einfache, leicht behältliche Namen haben Aussicht, wirklich volkstümlich zu werden. Daher mußte oft von Übersetzungen der lateinischen Namen abgesehen werden, während gute, bereits im Volke gebrauchte Bezeichnungen gern verwendet wurden. Bezüglich der lateinischen Namen schloß ich mich bis auf wenige Ausnahmen an das rühmlich bekannte Werk von J. Schröter, Die Pilze Schlesiens, an.

Die neuere wissenschaftliche Pilzliteratur ist, wie Kenner bald herausfinden werden, gewissenhaft benutzt.

Das Werk mußte, um es nicht unhandlich werden zu lassen, in zwei Bänden herausgegeben werden. Hierbei erschien es selbstverständlich, die Blätterpilze ungeteilt in Band I zu bringen, so daß die Löcherpilze und die kleineren Familien, sowie der allgemeine Teil für Band II verblieben.

Eine angenehme Pflicht ist es mir, allen Herren verbindlichst zu danken,

---

[1]) Da es in Deutschland weit über 1000 höhere Pilze gibt, ist es für alle, die sich eingehender mit der Pilzkunde beschäftigen wollen, unumgänglich nötig, neben unserem Buche ein solches zu benutzen, das nur Beschreibungen gibt und mehrere hundert Arten enthält, wie z. B. O. Wünsche, Die verbreitetsten Pilze Deutschlands. Leipzig, 1896. Teubner. 124 S. (Geb. 1,40 ℳ, enthält an 500 Arten) oder das vortreffliche Werk von G. Lindau, Die höheren Pilze. Mit 607 kleinen Pilzzeichnungen. Berlin, 1911. J. Springer. 250 S. (Geb. 7 ℳ, enthält an 1300 Arten.)

[2]) Die in den meisten Pilzwerken gebräuchlichen schwülstigen „Buchnamen" erfüllen den Laien, der Pilze kennen lernen will, oft geradezu mit Widerwillen. Hier ist die größte Einfachheit notwendig. Daher sagte ich statt Stock-Schüppling — Stockpilz, statt Grünspan-Träuschling — Grünspanpilz, statt Habicht-Stoppelpilz — Habichtspilz, statt Nelken-Schwindling — Suppenpilz, statt Pflaumen-Räßling — Mehlpilz, statt Scheiden-Runzling — Reizpilz, statt nebelgrauer Trichterpilz — Graukopf, statt zimtbrauner Hautkopf — Zimtpilz usf.

die mich durch wertvolle Ratschläge freundlichst unterstützt haben. Es sind dies die Herren Prof. Dr. F. v. Höhnel=Wien, Abbate G. Bresadola=Trient, Pfarrer A. Ricken=Lahrbach (Rhön), Prof. Dr. K. Giesenhagen=München, Lehrer O. Jaap=Hamburg, Schriftsteller Dr. F. Skowronnek und vor allem Prof. Dr. O. Schmeil=Heidelberg, der mein Werk andauernd mit Rat und Tat förderte. Seine für mich überaus wertvolle und selbstlose Mitarbeit und seine reifen Erfahrungen haben sehr viel zur Ausgestaltung der Abbildungen und des Textes beigetragen.

Möge nun das Buch recht viele hinausziehen zu den Pilzen, diesen eigenartigen und schönen Kindern der heimischen Natur! Möchte es aber auch in vielen das nachhaltige Interesse wachrufen, das zu ernsterer Beschäftigung auf diesem viel zu wenig bekannten Gebiete führt.

Königsberg i. Pr., im Frühjahr 1913.

Der Verfasser.

Inhaltsverzeichnis.

Blätterpilze

(Agaricaceae)

Pfifferling.

Gelbling.   Eierſchwamm.   Dotterpilz.   Gelbſchwämmchen.   Gelböhrchen.   Gehlchen.
Gehling.   Galuſchel.   Rehling.   Recherl.   Rehfüßchen.

Cantharéllus cibárius Fr.

Der Pfifferling iſt einer der bekannteſten, häufigſten und am meiſten beliebten
Speiſepilze; daher führt er auch zahlreiche, oft ſehr bezeichnende Volksnamen,
von denen hier nur eine Ausleſe wiedergegeben iſt. Der ſchöne Pilz wird leicht
an ſeiner lebhaft dotter=, rot= oder hellgelben Färbung erkannt. Der Hut iſt an=
fangs gewölbt, ſein Rand eingerollt; ſpäter breitet er ſich aus und vertieft ſich
in der Mitte. Der Rand erſcheint dann wellig, unregelmäßig lappig oder buchtig
und kraus. Der Hut wird 3—8, bei üppigen Exemplaren bis 12 cm breit, iſt
ziemlich fleiſchig, völlig kahl und glatt, glänzt aber nicht.

Das weiße oder weißgelbe Fleiſch iſt feſt und läßt ſich in Längsfaſern zerteilen.
Die Blätter ſind dick, nur 1—2 mm breit und erſcheinen als Leiſten oder
faltenartige Rippen. Die Falten laſſen ſich ablöſen, auseinanderziehen und
ſind dann als ſolche zu erkennen. Sie teilen ſich wiederholt gablig, laufen am
Stiele herab, ſtehen ziemlich weitläufig und ſind im Alter meiſt durch Queradern
verbunden. Das Sporenpulver iſt blaß ockergelb[1]).

Der volle, glatte Stiel verdickt ſich nach oben und geht allmählich in den
Hut über. Er iſt kahl, feſtfleiſchig, nach unten verjüngt, wie der Hut in Längs=
faſern ſpaltbar und 3—6 cm hoch, ſowie ½—1½ cm dick.

Der Pilz duftet ſehr angenehm und ſchmeckt anfangs mild, dann ſchwach
beißend, etwas an Pfeffer erinnernd, wie auch ſein Name andeutet.

Er erſcheint zuweilen ſchon im Juni, gedeiht jedoch am beſten vom Juli bis
September und iſt bei milder Witterung oft noch im November zu finden. Er
kommt ſehr häufig[2]) in Nadel= und Laubwäldern und auf Heiden vor; auch im
Vor= und Hochgebirge iſt er anzutreffen. Oft wächſt er herdenweiſe, zu Tau=
ſenden bei einander (vgl. Bd. II, S. 83); nur in der Nähe der Großſtädte wird
er zur Seltenheit.

Der Pfifferling hat einen kräftig ausgeprägten Geſchmack und iſt — dem
Umſatze nach — der wichtigſte aller Marktpilze. Im Alter und bei Trocken=
heit wird er jedoch ziemlich zäh und iſt dann nicht gerade leicht verdaulich, ge=
hört alſo nicht zu den beſten Speiſepilzen. Er iſt leicht kenntlich, hält ſich ſehr
lange friſch (daher für den Handel wertvoll!), iſt mühelos und ohne Abfall zu rei=
nigen, hat faſt nie Maden, wird auch von Schnecken verſchmäht und iſt daher
beſonders appetitlich. Zum Einmachen eignet er ſich gut, weniger zum Trock=
nen, da er dann ſehr hart wird. Man hüte ſich beim Sammeln vor zu alten
Exemplaren, die oft ſchon wochenlang am Orte ſtehen, oder gar vor ſolchen, die
auf den Blättchen bereits einen Schimmelanflug zeigen und giftig wirken können.

Sehr ähnlich: Der falſche Pfifferling (C. aurantiacus). Hut meiſt kleiner, dünner
fleiſchig, biegſam, weich, dünnfilzig, mennigrot, rotgelb, Mitte wenig vertieft,
Rand kaum wellig-kraus. Blättchen dünner, dichter geſtellt, lebhaft mennigrot. Stiel
dünner, weich. Geruchlos. Geſchmack fade ſüßlich. Etwas ſeltner.

[1]) Form und Größe der Sporen iſt in Bd. II, S. 57 erſichtlich.
[2]) Der Pfifferling iſt, wie die meiſten häufig vorkommenden Pilze, die auf verſchie=
denartigen Standorten gedeihen, oft abnorm geſtaltet. Eine blaßgelbe Form hat z. B.
einen recht dickfleiſchigen Hut und einen etwa 2 cm dicken Stiel. Auffällig iſt auch eine
geruchloſe, ganz weiße Abart.

Pfifferling. Cantharellus cibarius.   Eßbar.

Quelle & Meyer in Leipzig

Falscher Pfifferling.

Weicher Pfifferling.

Cantharéllus aurantíacus Wulf.

Dieser Doppelgänger des Pfifferlings ist sehr veränderlich. Er hat einen dünnfleischigen, weichen, biegsamen Hut, der 2 bis 6, zuweilen aber auch bis 9 cm breit wird. Der Hutrand ist anfangs eingerollt; später streckt er sich gerade und verbiegt sich auch wohl wellig oder wird lappig-kraus; endlich biegt er sich meist schlaff abwärts. Die Mitte des Hutes vertieft sich im Alter mehr oder weniger. Die Oberhaut ist fein filzig, wie eine genauere Betrach= tung durch die Lupe zeigt. Der Hut ist lebhaft mennigrot oder rotgelb, selten braun oder gelb; die Mitte erscheint oft weißlich, olivbraun oder grau getönt; alt wird der ganze Pilz meist ledergelb. Die Mitte des Hutes vertieft sich im Alter

Das weiche, schwammige Fleisch ist dünn und blasser als der Hut.

Die Lamellen sind dünn und blattartig, 2—4 mm breit, stehen dicht, teilen sich wiederholt gablig und laufen am Stiele herab. Sie sind oft lebhafter mennigrot als der Hut, selten gelblich und haben gewöhnlich keine Quer= adern. Das Sporenpulver ist weiß.

Der anfangs volle, später aber hohle Stiel ist dünn und biegsam, 3—5, seltener 8 cm hoch, nur 4—8 mm dick und oft verbogen. Er zeigt dieselbe Farbe wie der Hut und steht nicht selten etwas exzentrisch.

Geruchlos. Geschmack widerlich=süßlich.

Der falsche Pfifferling ist meist häufig vom August bis November in Nadel= wäldern, besonders in Holzschlägen, auf feuchtem Boden und an Baumstümpfen zu finden; im Laubwalde wird er nicht so oft angetroffen. In manchen Gegenden ist er selten oder tritt doch nicht alljährlich auf.

Er wird vielfach für giftig gehalten. Wäre dies der Fall, dann würden aber, da er unzweifelhaft sehr oft mit dem ganz ähnlichen Pfifferling ver= wechselt wird, häufig Vergiftungen durch diesen allbekannten Speisepilz vor= kommen. Solche gehören jedoch zu den größten Seltenheiten, und auch dann ist anzunehmen, daß bereits in Zersetzung begriffene Pfifferlinge verwendet wurden. Nach meinen Erfahrungen ist der falsche Pfifferling wahrscheinlich genießbar; denn ich verspeiste nach kleineren Proben 20 Exemplare, die ohne vorherige Abkochung gebraten waren und mittelmäßig schmeckten, ohne jeden Nachteil. Auch P. Sydow (Eßbare und giftige Pilze) hält ihn für eßbar. Wei= tere Beobachtungen sind sehr erwünscht.

Ähnlich ist: der Pfifferling (C. cibarius). Hut meist größer, derbfleischiger, dotter= gelb, kahl und glatt, Rand wellig geschweift. Blätter dicker, aderförmig, weitläufiger, blasser gefärbt. Stiel dicker. Geruch angenehm. Geschmack etwas scharf.

Falſcher Pfifferling, Cantharellus aurantiacus. Genießbar.

Luelle & M... ... ...

Suppenpilz.

Nelten=Schwindpilz. Nägleinpilz. Kreisling. Krösling.
Großes Dürrbein. Großes Dürrbehndl.
Marásmius caryophýlleus Schäff. (M. oréades Bolt.)

Dieser mittelgroße, unscheinbare, aber sehr schmackhafte Pilz erfreut sich, wie aus dem Vorhandensein mehrerer volkstümlicher Benennungen hervorgeht, großer Beliebtheit bei allen Pilzfreunden. Der dünnfleischige, elastische, glatte Hut wird 3—6 cm breit. Er kommt feucht blaßbraun oder rötlich=lederfarben aus der Erde, verbleicht bei Trockenheit und wird im Alter weißlich und zäh. Anfangs ist er glockig oder keglig, mit eingebogenem, oft dunkel gewässertem Rande (wie beim Stockpilz und Waldfreund); dann verflacht er sich, wobei die Mitte meist erhöht und lebhafter gefärbt bleibt; zuletzt wird der Rand gestreckt und wellig verbogen, gestreift oder gekerbt. Bei trocknem Wetter schrumpft der Pilz (Schwindpilz!), ohne zu verwesen, quillt aber nach Regenfällen wieder auf[1]) und sieht frisch und straff aus.

Die 3—5 mm breiten, etwas dicken Blättchen stehen frei, weitläufig, sind weißlich oder heller als der Hut und wie bei den meisten Blätterpilzen von dreifach verschiedener Länge. Die Sporen erscheinen weiß.

Der schlanke, volle, oft auffällig hohe Stiel ist zäh, hart, ziemlich trocken (Dürrbein!), heller als der Hut und mit weißlichem, dünnem Filz überzogen. Er steht steif aufrecht und wird 4—9, zuweilen auch bis 12 cm lang, aber nur 3—6 mm dick.

Der Geruch des Suppenpilzes ist angenehm gewürzig, fast nelkenartig, besonders beim Trocknen, oft aber auch kaum merklich, der Geschmack gleich= falls würzhaft.

Standort: auf Grasplätzen, Triften, Wiesen, Waldwegen, Heiden, an Feld= rändern und =wegen und in jungen Nadelholzschonungen.

Der Suppenpilz wächst vom Mai bis zum Spätherbst sehr häufig und ge= sellig, oft in Reihen oder Kreisen (Krösling!).

Er ist gebraten von großem Wohlgeschmack, gibt aber auch frisch und ge= trocknet eine vorzügliche Würze für Suppen und Saucen. In manchen Orten wird der Suppenpilz auf den Markt gebracht. Leider ist er oft madig. Beim Zubereiten sind nur die Hüte nebst den Lamellen und oberen Stielenden zu verwenden. Man hüte sich vor alten, trocknen oder vom Regen „aufgefrischten" Exemplaren!

Ähnlich: Der filzige Schwindpilz (M. peronatus). Hut größer, graubraun oder graurotbraun. Blätter jung gelb. Stiel unten gelbfilzig. Geschmack scharf. Liebt schattigen Wald. — Der Waldfreund (Collybia[2]) dryophila). Hut weicher, dünnfleischiger. Blätter dichter, dünner und zarter. Stiel glatt, weich, röhrig. In Wäldern.

[1]) Dieser Wiederbelebungsvorgang ist bei allen Marasmius-Arten zu beobachten.
[2]) Der Waldfreund kann um so leichter mit dem Suppenpilz verwechselt werden, da dieser das Aussehen einer Rüblings=(Collybia-)Art hat.

Suppenpilz, Marasmius caryophylleus. Eßbar.

Du ne & Meyer in Leipzig

Filziger Schwindpilz.

Gestiefelter Schwindpilz.

Marásmius peronátus Bolt. (M. úrens Bull.)

Der zähe, dünnfleischige Hut ist kahl, glanzlos, graubraun, graurotbraun, gelb=
rötlich oder lederfalb, verblaßt später und wird 3—9 cm breit. Jung ist er
glockig, später flach, oft mit gebuckelter Mitte; der Rand wird zuletzt wellig=
schlaff, gestreift, runzlig und schlägt sich auch wohl aufwärts um. — Die in der
Jugend gelben, später bräunlichen, lilarot schimmernden Blätter sind angeheftet,
dann frei, sehr weitläufig und oft queradrig.

Der volle, zähe Stiel ist wie der Hut gefärbt, 4—8 cm hoch, am Grunde mit
dickem, gelblichem Filz, sowie mit abstehenden, gelben Haaren bekleidet
(gestiefelt) und im oberen Teile feinfilzig. Hebt man den Pilz aus dem Wald=
boden, so bleiben an seinem Fuße meist Blattreste oder Nadeln haften, die das
Myzel fest umsponnen hat.

Der filzige Schwindpilz schmeckt ziemlich scharf brennend und ist ungenießbar.

Man findet ihn vom Juli bis Oktober sehr häufig in Laubwäldern zwischen
alten Blättern, seltener in Nadelwäldern. Er wächst gesellig, förmlich wie gesät.

Ähnlich: Der Suppenpilz (M. caryophylleus). Kleiner, Hut lebhafter gefärbt, Lamellen
heller, weißlich. Stiel unten nicht dick gelbwollig. Geschmack mild. — Der Waldfreund
(Collybia dryophila). Kleiner, Hut nicht zäh, ohne Buckel, heller. Blätter dichter, dünner
und zarter, weißlich. Stiel nicht filzig.

Knoblauchpilz.

Echter Musseron. Lauch=Schwindpilz. Kleines Dürrbein. Kleines Dürrbehndl.

Marásmius alliátus Schäff. (M. scorodónius Fr.)

Das unansehnliche Pilzchen trägt einen sehr dünnfleischigen, etwas zähen Hut.
Er ist nur 1—3 cm breit, glatt, fleischrötlich, hellbräunlich oder weißlich, anfäng=
lich gewölbt, wird dann flach, wellig verbogen und runzlig. Der Rand rollt sich
mitunter aufwärts um. Der reife Hut fault nicht leicht, sondern schrumpft und
trocknet ein. — Die weißen, weitläufig stehenden Blättchen sind nur 1 mm breit,
angewachsen oder frei, werden trocken kraus und sind im Alter adrig verbunden.

Der zähe, trockne, hornige, hohle Stiel ist meist glänzend, glatt, dunkel rot=
braun oder braunschwarz, oben heller und etwas verdickt. Er wird 2—5 cm lang
und ¹/₂—2 mm dick.

Der Pilz duftet, besonders zerrieben, stark und angenehm nach Knoblauch,
ein Merkmal, das auch beim Kauen getrockneter Pilze deutlich zu erkennen ist.

Man findet ihn häufig im Sommer und Herbst in Nadelwald und Heide;
er wächst gesellig auf Gras=, Kräuter= und Baumwurzeln oder auf der Erde.

Der Knoblauchpilz dient als beliebte Würze für Saucen und Fleischspeisen,
besonders für Hammelfleisch, und ist ein begehrter Handelsartikel. Er wird
vorwiegend von Frankreich aus als „französischer Musseron" in den Handel ge=
bracht; der winzige Pilz bringt den Franzosen jährlich an 5 Millionen Mark
ein. In Deutschland, wo er ebenso häufig ist, wird er viel zu wenig gesammelt.

Mehrere andere, noch kleinere, schwach oder gar nicht duftende Schwindpilze dienen
vielfach zur Verfälschung der täuschlichen Knoblauchpilze, besonders der übelduftende
Nadel=Schwindpilz (M. pérforans Hoffm.): Kleiner, Hut dünner, Stiel glanzlos, samt=
filzig; herdenweis auf verwesenden Sichtennadeln.

Filziger Schwindpilz, Marasmius peronatus. Ungenießbar.

Quelle & Meyer in Leipzig

ᏬᏬᏬ Knoblauchpilz, Marasmius alliatus. Eßbar. ᏬᏬᏬ

Kahler Krempling.

Paxíllus involútus Batsch.

Der derbe, fleischige Hut sieht lehmfarben, braungelb, ockerbraun oder oliv=
rostbraun aus. Er wird 6—10, wohl auch bis 15 cm breit und ist anfänglich am zot=
tig=filzigen Rande — wie auch der Name des Pilzes andeutet — stark spiralig
umgerollt. Seine dünne, kahle Oberhaut ist bei feuchtem Wetter mit Aus=
nahme des Randes schleimig, trocken meist glänzend; sie läßt sich ziemlich schwer
abziehen und wird am Rande durch Lamelleneindrücke oft furchig. Der junge
Hut ist flach gewölbt, später in der Mitte vertieft oder trichterförmig und
verbogen.

Das dicke, aber zarte, saftige Fleisch ist weißgelb und wird beim Zerbrechen
rötlichbraun.

Die dichtstehenden, breiten Blätter sind blasser als der Hut, anfangs hell=
oder lehmgelb, dann dunkler. Durch Druck werden sie feucht (matschig), zer=
gehen leicht und werden nach kurzer Zeit braun, färben auch die Finger des
Sammlers sehr dauerhaft. Sie sind angewachsen[1]) oder am Stiele herab=
laufend, in seiner Nähe verästelt und durch Queradern verbunden. Durch einen
Fingerdruck können sie leicht vom Fleische abgelöst werden. Die Sporen sind
oliv= oder gelbbraun.

Der fleischige, volle Stiel ist schmutzig gelblich oder dem Hute ähnlich ge=
färbt, doch blasser; er ist kahl, meist mittelständig, am Grunde oft verdickt und
so fest mit dem Myzel verbunden, daß beim Herausheben des Pilzes ein Teil
davon nebst Humuserde, Nadeln, Blattresten u. dgl. an ihm haften bleibt. Er
erreicht eine Höhe von 4—7, selten auch bis 9 cm, ist bald kurz=, bald langstielig
und wird 1—2½ cm dick; gedrückte Stellen werden bald rot= oder dunkelbraun.

Geruch und Geschmack sind angenehm säuerlich.

Der kahle Krempling ist einer der häufigsten Pilze in Nadel= und Laub=
wäldern; besonders gern wächst er zwischen lockeren Nadeln und auf
feuchtem Boden; doch ist er auch häufig in Gebüschen, Gärten, an Wegen
und in Chausseegräben, sowie an Baumstümpfen und =wurzeln zu finden. Er
gedeiht vom Juni oder Juli bis zum November.

Er ist ein recht wohlschmeckender und wegen seiner Häufigkeit wichtiger
Speisepilz. Gebraten färbt er sich dunkel und schmeckt etwas säuerlich. Bei
älteren Pilzen sind die bereits braun gewordenen, unappetitlichen Blätter zu
entfernen. Leider wird der kahle Krempling stark von Maden befallen, oft
schon in der Jugend. In einigen Orten ist er Marktpilz; da er aber gegen
Berührung sehr empfindlich ist und — wie erwähnt — leicht fleckig wird,
empfiehlt ihn sein unschönes Äußere wenig.

Er hat etwas Ähnlichkeit mit dem Mordschwamm (Lactaria necator).

---

[1]) Die Bezeichnungen „angewachsen", „angeheftet", „frei" u. a. beziehen sich auf die An=
fügung der Blätter an den Stiel. Die Art dieser Anfügung ist ein sehr wichtiges Moment
bei der Bestimmung der Blätterpilze. Vgl. die Abbildung: Ansätze der Lamellen, Bd. II,
S. 55.

Kahler Krempling, Paxillus involutus. Eßbar.

Quelle & Meyer in Leipzig

Samtfuß=Krempling.

Paxíllus atrotomentósus Batsch.

Dieser schöne, stattliche Pilz hat einen Hutdurchmesser von 8—15, ja zuweilen von 30 cm. Meist sitzt der Hut seitlich am Stiele; er ist muschelförmig, seltner regelmäßig gerundet und in der Mitte trichterartig vertieft. Der Rand ist in der Jugend start eingerollt, wenig filzig, später kahl, flach und zuweilen rissig. Die rostbraune Oberfläche fühlt sich anfangs gleichfalls feinfilzig an, wird später aber kahl, trocken und platzt nicht selten rinnig auf.

Das dicke Fleisch ist weich, weißgelb, am Grunde des Hutes wohl auch rötlich. Bei Regenwetter saugt es sich schwammartig voll Wasser; größere Pilze wiegen in solchem Falle nicht selten über 1 kg.

Die gelblichen Blätter stehen gedrängt, sind angewachsen oder etwas herab= laufend, am Grunde veräftelt und queradrig. Sie lassen sich durch seitlichen Druck leicht vom Hutfleische trennen. Die Sporen sind lehmfarbig.

Der kurze, volle Stiel ist mit schwarzbraunem, schwärzlichem oder braun= gelbem, samtartigem Filz bekleidet, wodurch er ein prächtiges Aussehen erhält. Er wird bei einer Länge von 3—6 cm 1—4 cm dick, steht — wie be= reits erwähnt — nur selten in der Hutmitte und ist unten mitunter wurzel= artig verlängert.

Der Samtfuß=Krempling riecht und schmeckt säuerlich, hat jedoch einen ziemlich widerlichen Beigeschmack.

Er findet sich nicht selten in Nadelwäldern an alten Baumstümpfen (be= sonders von Kiefern), an morschen Baumwurzeln oder auf moosbedeckten Stellen. Er bevorzugt feuchten Boden und wächst vom Juli bis Oktober.

Der Samtfuß=Krempling ist jung genießbar, aber minderwertig. Mit anderen Speisepilzen vermischt ist er jedoch verwendbar; auch eignet er sich zum Einmachen in Essig.

Samtfuß=Krempling, Paxillus atrotomentosus. Genießbar.

Quelle & Meyer in Leipzig

Schopf=Tintenpilz.

Schopfschwamm. Großer Tintenpilz.
Cóprinus porcellánus Schäff. (C. comátus Fl. Dan.)

Man sieht es dem zarten, weißen Pilz nicht an, daß sein Hut sich im Alter in schwarzbraune „Tinte" verwandelt. Der anfangs walzenförmige, seidig schimmernde Hut schließt sich eng an den Stiel an und ist unten durch einen Ring verschlossen. Bei weiterer Entwicklung öffnet er sich, wird kegelförmig, und der Rand, der sich allmählich zerschlitzt, rollt sich spiralig nach außen um. Der Hut ist 6—13 cm hoch, 3—6 cm breit, weiß und am Scheitel meist bräunlich. Die Oberhaut zerreißt bald in breite, weiche, faserige, bräunlich werdende, etwas ab= stehende Schuppen; der Hut erinnert jetzt — worauf auch der Name des Pilzes hindeutet — an einen Haarschopf.

Das dünne Fleisch ist zart und weiß.

Die sehr dicht stehenden, etwa 1 cm breiten Blätter stehen frei, sind jung weiß, färben sich dann aber von unten auf rosa und endlich schwarz. Während dieser Verfärbung werden sie feucht und zerfließen nebst dem Hut in tintenähn= liche Tropfen. Die Sporen sind schwarz.

Der schlanke, durch den großen Hut belastete und darum zähfleischige Stiel ist weiß, hohl, innen flockig, außen zartfasrig und am Grunde schwach knollig. Er wird 10—18 (bis 25) cm hoch, 1—2½ cm dick und trägt den vom Hutrande abgelösten, beweglichen Ring.

Der Schopf=Tintenpilz riecht angenehm und schmeckt wäßrig.

Er kommt vom Juli bis Oktober häufig auf gedüngten Grasplätzen, in Gärten, auf Höfen, in Gräben, an Wegen vor und ziert besonders oft Kehricht=Ab= ladeplätze und Schutthaufen. Meist erscheint er truppweise und entwickelt sich nach einem warmen Regen nicht selten im Laufe einer Nacht.

Schopf=Tintenpilze sind recht wohlschmeckende Speisepilze, doch sind nur junge Exemplare mit noch weißen Lamellen zu verwenden. Die schuppige Oberhaut ist abzuschaben; hat sich der Hutrand bereits gerötet, so ist er wegzu= schneiden. — Der große Tintenpilz gibt schwarzbraune Tinte (vgl. S. 8).

Schopf=Tintenpilz, Coprinus porcellanus. Eßbar (jung).

Echter Tintenpilz.
Cóprinus atramentárius Bull.

Der fehr dünnfleifchige, 5—11 cm breite Hut fieht weißgrau, fpäter afchgrau oder graubraun aus und trägt am Scheitel anliegende, bräunliche, kleieartige Schüppchen. Er ift jung eirund und mehlig bereift, wird dann kegel= oder glocken= förmig und meift längsfurchig=faltig, breitet fich gleichzeitig flacher aus und biegt den Rand, der fich bei weiterer Entwicklung immer mehr zerfchlißt, auf= wärts um.

Die Blätter ftehen fehr dicht, frei, find etwa 1 cm breit und bauchig. Sie find erft weiß, werden bald an der Schneide rotbraun und zuletzt fchwarz. Mit zunehmender Schwärzung werden fie zugleich feucht und löfen fich all= mählich, vom Hutrande beginnend, nebft dem dünnen Hutfleifche in eine fchwarz= braune, tintenartige Flüffigkeit auf; nur der Scheitel des Hutes bleibt am Stiele ftehen. Die Schwarzfärbung der „Tinte" wird lediglich durch die fchwarzbraunen Sporen bewirkt, deren Verbreitung durch Regengüffe und — nach dem Trocknen der Flüffigkeit — durch den Wind gefördert wird.

Der weiße, volle, fpäter hohle Stiel ift glatt und glänzt fchwach feidig. Am Grunde erfcheint er oft ringartig gefchwollen (ein eigentlicher Ring fehlt!), doch fchwindet diefer Abfatz im Alter. Die Höhe des Stieles beträgt 6—14, auch wohl bis 18 cm, die Dicke 1—2 cm.

Den echten Tintenpilz findet man vom Juni bis zum November (mitunter auch im Frühling) fehr häufig auf gedüngtem Boden, Wiefen, an Dünger= und Schutthaufen, an Baumftrünken, Wegen, auf Dorfplätzen, in Gärten. Er wächft gewöhnlich büfchelweife, in dichten Haufen und entwickelt fich fehr fchnell.

Junge Tintenpilze mit noch weißen Blättern find eßbar. — Man kann aus ausgewachfenen Pilzen braunfchwarze Tinte herftellen: Einige Hüte legt man in eine Taffe und gießt nach 1—2 Tagen die nun entftandene fchwärzliche Flüffigkeit ab. Sie würde aber, da die eiweißhaltigen Sporen allmählich verwefen, bald übel riechen. Daher fügt man eine fäulniswidrig wirkende Flüffigkeit, etwa einige Tropfen Nelkenöl, hinzu. Ferner fetzt man, um die Tinte dickflüffiger zu machen, etwas Gummi arabicum zu. Vor der Benutzung ift fie zu fchütteln. (Nach J. Schröter.)

Echter Tintenpilz, Coprinus atramentarius. Genießbar.

Großer Schleimpilz.

Kuhmaul. Schafsnase. Gelbfuß.
Gomphídius glutinósus Schäff.

Der fleischige, 5—14 cm breite Hut ist graubraun, graulila oder violett=
braun, wird im Alter oft schwarzfleckig und endlich schwarz. Dicker
Schleim bedeckt die Oberhaut, die beim Trocknen etwas glänzend wird.
Anfangs ist der Hut gewölbt und sein Rand eingerollt; später aber zeigt er
sich in der Mitte flach gebuckelt oder vertieft.

Das weiche, zarte Fleisch sieht weiß aus; im Alter wird es grau.

Die weichen, aber dehnbar zähen, dicken Blätter sind spaltbar, stehen weit=
läufig, sind gegabelt und laufen am Stiele weit herab. In der Jugend werden
sie durch eine gelatineartige, schleimige, durchsichtige Schleierhaut
geschützt. Die Blätter sind erst weißlich, dann grau, werden schwarzfleckig und
schließlich durch die schwarzbraunen Sporen schwärzlich.

Der starke, volle Stiel fühlt sich sehr schleimig an, wird 5—9 cm hoch,
1—2½ cm dick und trägt an der mitunter eingeschnürten, verdickten Spitze
den Rest des Schleiers. Er ist oben weißlich, am Grunde aber lebhaft zitronen=
gelb, eine Erscheinung, die besonders beim Durchschneiden deutlich hervortritt.
Bei trocknem Wetter ist er mit den schwarzbraunen Schleimresten bedeckt.

Der Pilz duftet schwach und schmeckt angenehm säuerlich.

Standort: In Nadelwäldern (namentlich unter jungen Fichten) und Gebüschen.
Er ist hier häufig vom Juli bis Oktober zu finden und erscheint oft truppweise.

Der große Schleimpilz ist zwar seines schleimigen Überzuges wegen etwas
unappetitlich, aber in jugendlichem Zustande doch ein wohlschmeckender,
zartfleischiger Pilz. Die abziehbare Oberhaut ist vor der Zubereitung zum
Genusse natürlich zu entfernen.

Verwandt: Rötlicher Schleimpilz (G. viscidus L.). Hut kegelförmig, dann flach,
rötlich, rotbraun, wie das Fleisch, klebrig oder trocken, 5 bis 11 cm breit. Blätter herab=
laufend, weitläufig, dick, purpurbraun, dann braun. Schleier fädig=flockig, trocken,
leicht vergänglich. Stiel rötlich (auch innen), unten gelbbraun, bis 12 cm hoch, 1 cm
dick. Im Sommer und Herbst nicht selten in Wäldern. Eßbar.

～～ Großer Schleimpilz, Gomphidius glutinosus. Eßbar. ～～

Wiesen=Ellerling.

Hygróphorus ficoídes Bull. (Camarophýllus praténsis Pers.)

Der 4—8, bei besonders starken Exemplaren auch bis 11 cm breite Hut ist ocker=
gelb, orange, braungelb oder graugelb, am Rande heller. Anfangs erscheint er
gewölbt, wird aber im Alter flach oder vertieft und in der Mitte gebuckelt. Die
Oberfläche ist kahl, glatt, trocken und bei sonnigem Standort oft rissig=faltig.

Das weißliche oder gelbrötliche Fleisch ist in der Mitte 1—1$^1/_2$ cm dick, nach
dem Rande zu aber sehr dünn, meist wässerig=durchzogen.

Die sehr weitläufig stehenden, ziemlich dicken Blätter laufen meist weit
am Stiele herab, sind blasser als der Hut, zuweilen auch weißlich und oft
adrig verbunden.

Der volle, glatte Stiel wird 3—9, selten bis 12 cm lang und $^1/_2$—1 cm dick;
er ist festfleischig und hat gewöhnlich die Farbe der Blätter. Nach oben hin
verdickt er sich und geht allmählich in den Hut über, so daß der Pilz fast
kreiselförmig erscheint.

Der Wiesen=Ellerling duftet schwach und schmeckt angenehm.

Er erscheint erst im September (selten im August) auf Wiesen, Triften, an
Feldwegen und Waldrändern, wächst oft herdenweise und ist nicht selten noch
im November zu finden. Stellenweise tritt er sehr häufig auf, ist aber nicht all=
gemein verbreitet; nach Osten hin wird er zur Seltenheit.

Er ist wohlschmeckend. Von Insektenlarven wird er wenig angegangen.

Wiesen=Ellerling, Hygrophorus ficoides. Eßbar.

Kleiner Glaskopf.

Flammender Saftling.

Hygróphorus flámmans Scop. (Hygrócybe miniáta Fr.)

Der kleine Glaskopf ist zwar nur ein winziges Pilzchen, fällt aber durch seine leuchtend mennig= oder zinnoberrote Farbe leicht ins Auge. Der nur 1—3 cm breite, fast häutige, zerbrechliche Hut ist glatt oder fein schuppig, glanz= los, trocken und fühlt sich jung etwas klebrig an. Er erscheint anfangs glockig oder halbkuglig, wird dann flach und genabelt oder auch vertieft, verblaßt im Alter und geht ins Gelbliche über. Das dünne Fleisch ist wäßrig und durch= scheinend, worauf auch der Name hindeutet.

Die gelben oder gelbroten Blätter stehen weitläufig, sind ziemlich dick, etwas herablaufend oder angewachsen.

Der zerbrechliche, volle Stiel ist wie der Hut gefärbt, wird 3—6 cm hoch, 3—4 mm dick und fühlt sich sehr glatt an.

Der kleine Glaskopf kommt nicht selten im Sommer und Herbst auf feuchten Wiesen, Grasplätzen, in Sümpfen, an Waldrändern und in Gräben vor.

Eßbar, aber wegen seiner Kleinheit fast wertlos.

Ähnlich: Mehrere größere Glaskopf=Arten, die sich fast sämtlich durch sehr lebhafte rote oder gelbe Farben auszeichnen, aber meist klebrige oder schmierige Hüte haben.

Olivbrauner Schneckenpilz.

Gefleckter Schnedling.

Limácium oliváceoalbum Fr.

Der dünnfleischige, olivbraune oder =graue, dunkelstreifige, jung fast schwärz= liche Hut ist mit dickem Schleim von derselben Farbe bedeckt; im Alter oder bei warmem Wetter wird er trocken, glänzend oder matt und verblaßt, nament= lich am Rande. Er hat eine Breite von 3—7 cm, ist anfänglich keglig=glockig, später ausgebreitet, vertieft und gebuckelt; der zuerst eingebogene Rand erscheint dann wellig geschweift. Die Unterseite wird beim jungen Pilz von einem schleimigen, glasartig=durchsichtigen, zarten Schleier verdeckt.

Die weißen Blätter sind etwas dick, $^1/_2$—1 cm breit, laufen herab und stehen weitläufig.

Der volle Stiel ist klebrig=schleimig, weiß gefärbt und, nachdem er trocken geworden ist, mit olivbraunen, zackigen Flecken versehen, die durch den antrocknenden Schleim entstanden und mehr oder weniger deutlich sind. Er erscheint auffallend schlank, wird 5—9, bei sehr kräftigen Exemplaren bis 12 cm hoch, aber nur 5—12 mm dick. Über dem ringartigen Schleierreste ist er trocken, etwas flockig und sondert mitunter Wassertröpfchen ab.

Der olivbraune Schneckenpilz findet sich vom September (seltner August) bis zum Spätherbst ziemlich häufig in Nadelwäldern, weniger in Laubwäldern.

Ein schmackhafter Pilz, der aber oft von Insektenlarven zerstört wird.

Kleiner Glastopf, Hygrophorus flammans. Genießbar.

Olivbrauner Schneckenpilz, Limacium olivaceoalbum. Eßbar.

Gelbblättriger Schneckenpilz.

Limácium vitéllum Alb. u. Schw. (L. hypothéjum Fr.)

Der sehr dünnfleischige, aber derbe, elastische Hut ist mit dickem, oliv= farbigem Schleim bedeckt, der erst im Alter schwindet. Jung ist der Hut schwarzbraun, dann olivbraun und schließlich gelb oder rötlich=gelb. Er wird 3 bis 7, zuweilen sogar bis 9 cm breit, sieht anfangs keglig=glockig aus, wird später flach und vertieft sich beckenartig, behält jedoch in der Mitte meist einen Buckel. Das dünne, feste Fleisch ist weißgelb.

Die dottergelben Lamellen werden alt rötlich, sind etwas dick, $\frac{1}{2}$ cm breit, stehen weitläufig und laufen am Stiele herab. In der Jugend sind sie durch einen schleimigfädigen oder flockigen, bald verschwindenden Schleier geschützt.

Der volle, schlanke Stiel ist 5—10 cm lang, $\frac{1}{2}$—1 cm dick, gelb und schmierig=schleimig. Der nur wenige mm unterhalb des Hutes liegende Ringansatz ist später kaum kenntlich.

Geruch und Geschmack sind schwach, doch angenehm.

Der gelbblättrige Schneckenpilz gedeiht erst im September oder Oktober und ist bis zum Winterbeginn in Nadelwäldern, auf Heiden und feuchten Wald= lichtungen nicht selten zu finden.

Ein guter Speisepilz.

Ähnlich: Einige andere Schneckenpilze. — Verwandt: Der Elfenbeinpilz (L. ebúrneum Bull.). Hut 3—8 cm breit, dünnfleischig, weiß, schleimig, trocken glänzend, Rand anfangs eingerollt, mit schleimigem, schnell vergehenden Schleier. Blätter herablaufend, weit= läufig, elfenbeinfarben, dick. Stiel 5—12 cm hoch, meist voll, bis zur Mitte schleimig, oben trocken und mit weißen Körnchen besetzt. Geruchlos. In Wäldern, ziemlich häufig, im Osten seltener. Eßbar.

Gelbblättriger Schneckenpilz, Limacium vitellum. Eßbar.

Quelle & Meyer in Leipzig

Echter Reizker.

Fichten=Reizker. Blut=Reizker. Wacholder=Milchpilz. Röſtling. Rötling. Reske. Riʒke
Lactária deliciósa L. (Galórrheus deliciosus.)

Der echte Reizker gehört, wie die 9 folgenden Arten, zu der artenreichen Gattung
der Milchpilze (Lactaria-Arten), von denen er der im Geſchmack vorzüglichſte iſt.
Sein fleiſchiger, ſtarrer und ziemlich brüchiger Hut iſt zuerſt am Rande ein=
gerollt, dann flach gewölbt, zuletzt in der Mitte eingedrückt und vertieft, oft auch
verbogen und gebuckelt. Bei feuchtem Wetter fühlt er ſich klebrig, ſchleimig
oder fettig an, iſt völlig kahl und ſieht ziegel= oder orangerot aus, verblaßt aber
ſpäter und wird grau oder grünlich. Gewöhnlich iſt die Oberſeite lebhaft hell
und dunkler kreisförmig gezont, oft grünfleckig (auch Druckſtellen werden
grün), in der Jugend zuweilen ganz aſchgrau. Der Hut erreicht eine Breite
von 5—12 cm, ſelten bis 18 cm.
Beim Durchbrechen des Pilzes quillt aus Hut, Stiel und Blättchen lebhaft
ziegelrote, rotgelbe oder ſafranrote Milch[1]) heraus (ſicherſtes Merkmal!), die
meiſt mild ſchmeckt und ſich beim Eintrocknen grünlich färbt. Auch das weiße
Fleiſch wird durch die Milch ziegel= oder karottenrot gefärbt.
Die Blätter laufen gewöhnlich etwas am Stiele herab, ſtehen ziemlich eng,
ſind ſtarr, zerbrechlich, rotgelb und oft lebhafter als die Oberſeite des Hutes.
Drückt oder verletzt man ſie, ſo wird die Stelle bald grünſpanfarbig. Die
Sporen ſind hell=ockerfarben oder gelblich (vgl. die Sporenbilder in Bd. II, S. 57).
Der Stiel iſt ſtarr, anfangs voll, bald oder hohl, dem Hute gleich gefärbt, et=
was bereift und wird 4—8 cm hoch, 1—3 cm dick. Sein Randfleiſch ſondert
rotgelbe Milch ab; das innere Fleiſch iſt trocken, locker und weißgrau.
Der Geruch des Pilzes iſt ſehr angenehm, mild=würzig, der Geſchmack meiſt
mild, bisweilen aber auch etwas ſcharf und bitter.
Der echte Reizker erſcheint im Juli, mitunter ſogar im Juni, und dauert bis
zum Spätherbſt aus. Er wächſt ſehr häufig in Nadelwäldern, ſelbſt im Hoch=
gebirge, gedeiht aber auch in bewaldeten Heiden, auf trocknen Lichtungen, ſo=
wie auf feuchten Waldwieſen und kommt meiſt truppweiſe vor.
Er gehört zu unſern ausgezeichnetſten und wichtigſten Speiſepilzen
und ſteht gleichwertig neben Steinpilz, Champignon, Morchel, Lorchel, Speiſe=
Täubling u. a. Manche Feinſchmecker ziehen ihn allen andern Pilzen vor;
andern dagegen ſagt ſein kräftiger Geſchmack und ſein charakteriſtiſcher Duft
weniger zu. Als Marktpilz erſcheint der Reizker infolge der grünen Druckflecken
leicht unſchön; auch wird er leider ſtark von Maden durchwühlt. Er eignet ſich
vorzüglich zur Bereitung von Pilzwürze, jedoch nicht zum Trocknen. Sehr
wohlſchmeckend ſind unzerteilt gebratene Hüte. Scharf und bitter ſchmeckende
Reizker verlieren zwar dieſe unvorteilhaften Eigenſchaften bei der Zubereitung,
behalten aber doch einen unangenehmen Beigeſchmack und ſollten vorher ab=
gebrüht werden.
Der echte Reizker iſt dem ʒottigen Reizker (L. torminosa), in deſſen Geſellſchaft er
oft vorkommt, von oben geſehen, recht ähnlich. Dieſer hat aber einen ʒottig-ſchuppigen
Hutrand, weißroſa Blätter, weiße, ſehr ſcharf ſchmeckende Milch, loderes, weißes
Fleiſch und wird durch Druck nicht grün.

[1]) Bei den Milchpilzen (Lactaria-Arten) ſind alle Teile des Fruchtkörpers von feinen,
reichverzweigten Milchröhren durchzogen.

Echter Reizker, Lactaria deliciosa. Eßbar.

Quelle & Meyer in Leipzig

Brätling.

Goldbrätling. Birnen=Milchpilz. Milchreizker. Brotpilz. Milchbrötchen.

Lactária voléma Fr.

Ein schöner, ansehnlicher und sehr auffälliger Pilz. Sein dick= und festfleischiger
Hut ist schön rotgelb, rötlich=braun, zimtfarben oder semmelgelb und wird 8 bis
15 cm breit. Er ist glatt, trocken, ungezont, matt, seltner glänzend, fast samt=
artig bereift und bekommt im Alter meist Querrisse, verbleicht dann oder
wird auch dunkler. Der Hut erscheint zuerst am Rande eingerollt; nach seiner
völligen Ausbildung wird er flach oder vertieft, in der Mitte nicht selten ge=
nabelt und oft stark verbogen. Die dünne Oberhaut ist wie bei den meisten
Milchpilzen mit dem Hutfleische verwachsen, also nicht abziehbar.

Das dicke, feste, aber keineswegs zähe Fleisch sieht anfangs weiß, später aber
gelblich aus. Es wird über ½ cm dick und sondert beim Zerbrechen sehr reichlich
weiße Milch ab, die mild[1]) und süßlich wie Kuhmilch schmeckt. Sie ist beim
Antrocknen klebrig und färbt sich an der Luft langsam braungelb.

Die Blätter stehen ziemlich gedrängt, sind zart weißgelb, etwas starr und dick=
lich. Sie werden ½—1 cm breit, laufen ein wenig am Stiele herab und färben
sich bei Druck und im Alter braun. Sie brechen bei geringer Berührung und
sondern dann reichlich Milch ab.

Der Stiel ist meist fingerhoch, erreicht aber bisweilen eine Höhe von 10—12 cm
und wird 2—3 cm dick. Er fühlt sich glatt und fest an, ist voll, etwas blasser als
der Hut und bereift, oben gewöhnlich heller, am Fuße verjüngt.

Der Brätling riecht jung, namentlich an Bruchstellen, angenehm süßlich nach
Birn=, Weißdorn= oder Ebereschenblüten oder etwas nach Honig, im Alter jedoch
schwach nach Heringen.

Der Pilz wird im Sommer (selten im Mai und Juni) und Herbst in lichten
Laub= und Nadelwäldern, auch an feuchteren Stellen gefunden. Leider ist er
nicht überall häufig. In manchen Gegenden tritt er in Menge, in anderen
nur vereinzelt auf oder fehlt völlig.

Er ist ein ausgezeichneter Speisepilz, der z. B. in Breslau oft auf den Pilz=
markt kommt, während er in Königsberg und vielen andern Städten unbekannt
ist. Er darf nur kurze Zeit — 10 bis 15 Minuten — gebraten werden, weil er sonst
zäh wird. Ebenso gibt der Brätling gehackt, mit geweichter Semmel und Ei ver=
mischt und dann „als Kotelett" gebraten, ein sehr schmackhaftes Gericht. Mit
Salz schmeckt er auch roh recht gut. Zum Trocknen eignet er sich nicht besonders.

---

[1]) Alle mild schmeckenden Milchpilze und Täublinge (Lactaria- und Russula-Arten) sind
eßbar.

Brätling, Lactaria volema. Eßbar.

Süßlicher Milchpilz.

Lactária subdúlcis Bull.

Der Hut, der einen Durchmesser von 3—8 cm erreicht, ist dünnfleischig, kahl, matt, ungezont, trocken und oft spitz gebuckelt. Seine Farbe erscheint braun= rot, zimtbraun oder braungelb. Der Rand ist etwas eingerollt; später verflacht sich der Hut und vertieft sich zuletzt muldenartig. Das Fleisch hat die Farbe der Hutoberfläche. Die weiße Milch ist etwas wässerig, schmeckt mild und süßlich, hat aber einen laugenhaften Nachgeschmack. Bei leichtem Fingerdruck bricht der Hut vom Stiele ab; aus der Wunde quillt schnell ein großer Milchtropfen.

Die Blättchen sind in der Jugend blaß rotbraun oder gelblich, im Alter braun= lila und — wie auch das umgebende Moos und Gras — durch die Sporen weiß bestäubt. Sie stehen ziemlich dicht und sind angewachsen.

Der Stiel ist 3—6 cm hoch, $\frac{1}{2}$—1 cm dick, anfangs voll, später hohl, zerbrech= lich und hat nur wenig Milch. Er ist wie der Hut gefärbt, unten rotfilzig und etwas bereift.

Ein Geruch ist wenig merklich.

Man findet diesen Milchpilz im Sommer und Herbst häufig in Laub= und Nadelwäldern, Waldsümpfen und =mooren; er gedeiht auch im Gebirge. Meistens wächst er büschlig.

Der süßliche Milchpilz ist eßbar.

Ähnlich: Rotbrauner Reizker (L. rufa). Derber, größer und glatter. Hut und Stiel weißlich bereift; mit scharfer Milch. — Der duftende Milchpilz (L. glyciosma) ist größer, rotgrau, graubraun, weißlila überlaufen. Fleisch weißlich, Milch mehr wässerig. — Milder Milchpilz (L. mitissima). Lebhaft orangegelb.

Milder Milchpilz.

Lactária mitíssima Fr.

Ein ziemlich kleiner, aber durch die lebhaft orangegelbe oder rotgelbe Farbe leicht kenntlicher Pilz. Der Hut ist 3—7 cm breit, anfangs gewölbt, mit etwas eingerolltem Rande, dann flach und oft vertieft, in der Mitte meist spitzhöckrig, ungezont, glatt und trocken. Das gelbliche Fleisch ist schwammig, locker und nur an 2 mm dick. Die reichlich vorhandene weiße Milch schmeckt angenehm mild; der Nachgeschmack ist etwas laugenhaft oder zusammenziehend.

Die Blättchen stehen dicht, sind angewachsen oder angeheftet und blasser als der Hut. Das Sporenpulver erscheint weiß.

Der Stiel ist dem Hute gleichfarbig, kahl, 3—8 cm hoch, 5—12 mm dick, schwam= mig=weich und leicht zerbrechlich, im Alter meist hohl.

Der milde Milchpilz wächst ziemlich häufig in Nadel= und Laubwäldern, sowie unter Gebüsch. Er gedeiht vom Juni oder Juli bis zum Oktober.

Er ist wohlschmeckend.

Ähnliche Pilze s. beim süßlichen und duftenden Milchpilz.

Süßlicher Milchpilz, Lactaria subdulcis. Eßbar.

[Emde & Meyer in Leipzig]

ꙮꙮꙮ Milder Milchpilz, Lactaria mitissima. Eßbar. ꙮꙮꙮ

Mordschwamm.

Tannen-Reizker. Häßlicher Milchpilz. Saupilz.
Lactária necátor Pers. (L. túrpis Weinm.)

Der Mordschwamm hat seinen wenig Vertrauen erweckenden Namen wohl infolge seines düsteren Aussehens erhalten, trägt ihn jedoch völlig zu Unrecht. Er hat einen festfleischigen, ziemlich harten Hut, der 6—15, bei sehr kräftigen Exemplaren auch wohl bis 20 cm breit werden kann. Er ist schwarz-oliv-grün, schmutzig-olivbraun oder umbragrün[1]), mitunter etwas gezont oder gefleckt und dünnfilzig; besonders der hellere Rand ist gelbgrün-filzig. Bei feuchtem Wetter fühlt sich der Hut klebrig an; sein Rand zeigt sich anfangs stark umgerollt, später vertieft sich die Mitte des Hutes beckenförmig. Nach Regenfällen findet man diese kleine Zisterne mit Wasser gefüllt.

Das derbe, dicke Fleisch ist weißlich oder weißgelblich, im Alter bräunlich.

Die Blätter stehen gedrängt, werden ½ cm breit und sind angewachsen-herablaufend. Ihre Farbe ist weißgelb, im Alter schmutzig-graugelb; bei Druck werden sie schwarzgrau-fleckig.

Der volle Stiel ist kurz und dick (3—6 cm lang, 1—3 cm stark), klebrig, nach unten oft verjüngt. Er ist wie der Hut oder heller als dieser gefärbt.

Der durchbrochene Pilz riecht etwas terpentinartig. Die reichlich aus Wunden fließende, weiße Milch schmeckt brennend-scharf.

Man trifft den Mordschwamm vom August bis zum November sehr häufig in Nadel- und Laubwäldern an, besonders aber in jungen, feuchten Beständen, sowie auf Heiden, in feuchtem Gebüsch, in Gärten und an Wegen.

Der Mordschwamm ist zur Ausübung der grausigen Tat, die sein Name andeutet, gänzlich ungeeignet. In vielen Orten Ostpreußens wird er (wie in einigen russischen Provinzen) als Speisepilz verwendet; er heißt hier „Sute", d. h. Säuchen, Saupilz. — Wirft man die zerschnittenen Pilze in kochendes Wasser und kocht sie nur etwa 2 Minuten, so ist der scharfe Geschmack geschwunden; sie riechen freilich jetzt unangenehm harzig, terpentinähnlich. Werden sie aber abgespült und etwa ¼ Stunde gebraten, so erhält man ein wohlschmeckendes Gericht. Der Nährwert des Mordschwamms wird durch das kurze Abkochen nur wenig beeinträchtigt. Er ist daher, weil er sehr häufig und ergiebig ist, ein wichtiger Speisepilz, der sich auch zum Einmachen in gesüßten Essig trefflich eignet. Er wird im Osten zuweilen gekocht dem Schweinefutter[2]) (Saupilz!) beigegeben.

Der Mordschwamm hat geringe Ähnlichkeit mit dem kahlen Krempling (Paxillus involutus), größere mit dem brandigen Täubling (Russula adusta).

[1]) Alte Mordschwämme werden (wie die schwarzen und Stink-Täublinge, Russula nigricans und foetens) schwarz und dauern wochenlang auf ihren Standorten aus.

[2]) Daß alle Speisepilze in gekochtem Zustande eine wertvolle Beigabe zum Schweinefutter sind, ist leider so gut wie gar nicht bekannt; sie übertreffen — wenn wir hierbei noch die hohe Energie der Verdauungssäfte des Schweines in Betracht ziehen — erheblich den Wert der Kartoffeln.

Mordschwamm, Lactaria necator. Eßbar (nach Abkochung).

Quelle & Meyer in Leipzig

Rotbrauner Reizker.

Rotbrauner Milchpilz.

Lactária rúfa Scop.

Dieser überall häufige Pilz ist mittelgroß, derb, glatt und festfleischig. Sein rot=
brauner Hut ist jung weißlich oder blaßlila überlaufen, ungezont, kahl und trocken,
glänzt oder schimmert schwach und wird 5—8, nur selten bis 11 cm breit.
Charakteristisch für ihn ist der spitze Höcker in der Mitte. Der Rand ist anfangs
eingerollt und schwach flockig, im Alter wird er gerade und scharf, und der Hut
vertieft sich in der Mitte.

Das Fleisch ist mattweiß, später hell bräunlich=rot und sondert wie alle
Teile des Pilzes beim Durchbrechen reichlich weiße Milch ab, die scharf und
anhaltend auf der Zunge brennt.

Die Blättchen stehen gedrängt, laufen wenig oder gar nicht am Stiele herab
und sind anfangs weißbräunlich, später heller als Hut und bestäubt.

Der Stiel erreicht bei einer Länge von 5 bis 8 cm eine Dicke von $^1/_2$ bis $1^1/_2$ cm,
ist glatt, hartfleischig und voll, im Alter meist hohl. Er ist heller als der Hut,
oben und besonders unten weißlich bereift; der Reif läßt sich leicht abwischen.

Der rotbraune Reizker hat einen kaum merklichen Geruch und schmeckt
scharf beißend.

Man findet ihn in großer Menge, oft wie gesät, in Nadelwäldern, sowohl in
der Ebene, wie im Gebirge. Er erscheint nicht selten schon in Juni und dauert
bis zum November aus.

Eßbar oder giftig? Eine vielumstrittene Frage bei diesem allgemein verbrei=
teten Pilz. Er ist nach meinen Erfahrungen eßbar, schmeckt aber gebraten, ohne
vorher gekocht zu werden, ziemlich bitter und riecht unangenehm harz= oder tien=
artig. Um seinen Geschmack zu verbessern, wässert man die Pilze (die unteren Stiel=
hälften läßt man besser fort) einige Stunden, zerkleinert sie dann und kocht sie
etwa 2 Minuten. Durch Abspülen mildert man den jetzt durchdringenden Harz=
geruch und brät die Pilze etwa eine Viertelstunde, worauf sie nicht übel schmecken.
In Königsberg i. Pr. ist der rotbraune Reizker einer der beliebtesten Marktpilze
und wird — bereits gekocht — in Wannen und Kübeln auf dem Markt gebracht.
Auch in vielen anderen Orten Ostdeutschlands, sowie in mehreren Landesteilen
Rußlands und Österreichs wird er verspeist. Besonders eignet er sich zum
Einmachen in gesüßten Essig und gibt, da er massenhaft vorkommt, eine
sehr wohlschmeckende Zukost, mit der man sich im Herbste für das ganze Jahr
versorgen kann. Mit Unrecht wird dieser völlig verkannte Pilz fast von der
gesamten Pilzliteratur als giftig oder ungenießbar hingestellt. Daß er durch
vorheriges Wässern und Abkochen einen Teil seiner Nährstoffe und =salze ein=
büßt, ist zuzugeben; doch erfahren z. B. Siede= und Bratkartoffeln, die niemand
auf seinem Tische missen möchte, eine ähnliche Behandlung.

Ähnliche Pilze s. beim süßlichen und duftenden Milchpilz.

Rotbrauner Reizker, Lactaria rufa. Genießbar (nach Wässerung und Abkochung).

Zottiger Reizker.

Birken=Reizker. Birken=Rietsche. Gift=Reizker. Pferde=Reizker.
Lactária tormínósa Schäff.

Dieser Doppelgänger des echten Reizkers ist einer der schönsten Pilze. Der handtellergroße (4—10 cm breite) Hut ist rosa, blaß fleischrot, ziegelrot, graurosa oder rotgelb und meist lebhaft heller und dunkler ringförmig gezont; später wird er blasser. Die Oberseite ist oft etwas klebrig, filzig=zottig, besonders am Rande, der weißlich=schuppig und watteartig zerfasert ist. In der Jugend zeigt sich der Rand so stark spiralig eingerollt, daß er die Blättchen verdeckt; im Alter wird er gerade (flach), glatter und kahler; die Hutmitte vertieft sich oft schüsselförmig.

Das zarte Fleisch sieht weißlich oder rötlich=weiß aus und ist locker und schwammig. Die Milch ist unveränderlich weiß und schmeckt scharf brennend.

Die Blätter stehen eng, sind weißrosa oder blaß fleischfarben und laufen etwas herab. Druckstellen bleiben unverändert.

Der Stiel ist 3—6 cm lang, 1—2 cm dick, zerbrechlich und glatt, zuweilen auch grubig=gefleckt. Er wird bald hohl, enthält innen lockeres, netziges „Mark" und ist heller als der Hut gefärbt.

Der Pilz riecht durchschnitten etwas terpentinartig.

Der zottige Reizker kommt im Sommer und Herbst häufig in Nadel= und Laub= wäldern, auch unter Gebüsch und auf Heiden vor. Er liebt Sandboden, findet sich meist unter Birken und geht bis ins Hochgebirge.

Fast in der ganzen Pilzliteratur gilt der zottige Reizker als giftig[1]) und führt da= her meist den abschreckenden Namen „Gift=Reizker". Im Osten Deutschlands (ebenso in Rußland und Schweden) wird er vielerorts gegessen, kommt auch unbe= anstandet zuweilen auf den Markt[2]). Sein beißend scharfer Geschmack wird durch etwa 2 Minuten langes Kochen aufgehoben, und er gibt dann gebraten, wie der Mordschwamm (S. 16) behandelt, eine schmackhafte Speise, die vom Verfasser wiederholt ohne jeden Nachteil versucht worden ist. Im Osten wird er ferner — wie auch andere Speisepilze — eingesalzen für den Winter aufbewahrt[3]). Er eignet sich auch gut zum Einmachen. Beim Genuß dieses Pilzes ist jedoch immerhin Vorsicht anzuraten, da der Giftstoff, den der frische Milchsaft möglicherweise enthält, auch nach der Zubereitung auf besonders dafür empfäng= liche Personen schädlich wirken könnte. Über eine chemische Untersuchung des scharfen Milchsaftes ist bisher nichts bekannt geworden.

Ähnlich: Echter Reizker (L. deliciosa). Hutrand kahl, weniger eingerollt, Blätter rot= gelb, durch Druck spangrün werdend. Fleisch fester, Milch ziegelrot, meist milde schmeckend.

---

[1]) Vgl. die verschiedenen Ansichten der Pilzforscher in der Anm. Bd. II, S. 72.
[2]) Auch auf dem Breslauer Markt wurde er um 1885 von J. Schröter wiederholt bemerkt.
[3]) Das geschieht besonders in ärmeren Dörfern, z. B. in dem durch seine Vogelwarte be= kannten Rossitten a. d. Kurischen Nehrung. Man kocht die zottigen Reizker einige Minuten, legt sie, mit dünnen Salzschichten abwechselnd, in Fäßchen oder Töpfe und wässert sie, bevor sie zubereitet werden sollen. Sie geben den Dorfbewohnern im Winter, in dem die Speisenauswahl meist äußerst dürftig ist, ein wenn auch nicht gerade nahrhaftes, so doch wohl= schmeckendes und beliebtes Gericht.

Zottiger Reizker, Lactaria torminosa. Genießbar (nach Abkochung).

Duftender Milchpilz.

Lactária glyciósma Fr.

Sein 5—9, mitunter auch bis 12 cm breiter Hut formt sich anfänglich halb=
kuglig, mit eingerolltem Rande, wird aber später flach, vertieft und nicht selten
verbogen. Er ist undeutlich gezont, ziegelrot=grau, fleischrötlich=braun oder
graubraun und weißlila schimmernd; in der Mitte zeigt er sich zuweilen ge=
buckelt. Die Oberfläche ist fein körnig oder flockig, matt und trocken.
Das Fleisch erscheint weißlich. Der milde oder etwas scharf schmeckende
Saft ist wässerig=milchig und fließt spärlich.

Die Lamellen laufen am Stiele etwas herab, stehen dicht, sind gegabelt und
dem Hute gleichgefärbt oder ockergelb, in der Jugend jedoch heller.

Der Stiel ist voll, im Alter manchmal hohl, wird 4—10 cm lang, 1—2¹/₂ cm
dick und sieht blasser als der Hut aus. Er ist fast glatt, gewöhnlich mit hellem,
abwischbarem Reif bedeckt und am Grunde weißlich.

Der duftende Milchpilz riecht stark und angenehm, etwas süßlich. Sein
Geschmack ist angenehm aromatisch, doch mehr oder weniger scharf.

Er kommt im Sommer und Herbst häufig in Nadel= und Laubwäldern vor
und wächst gesellig.

Dieser Speisepilz sagt infolge seines eigenartigen Geschmackes nicht jeder=
mann zu; doch läßt er sich mit besseren Arten vermischt verwerten. Es sind aber
nur junge Pilze zu verwenden; völlig ausgewachsene werden brüchig und
unschmackhaft.

Ähnlich: Süßlicher Milchpilz (L. subdulcis). Kleiner, Hut braunrot, nicht lila schim=
mernd. Milch weiß, reichlich fließend, milder. — Rotbrauner Reizker (L. rufa). Derber,
glatter, meist spitz gebuckelt. Milch weiß, sehr scharf. — Ähnlich sind außerdem noch
mehrere schwer zu unterscheidende, scharfschmeckende Milchpilze.

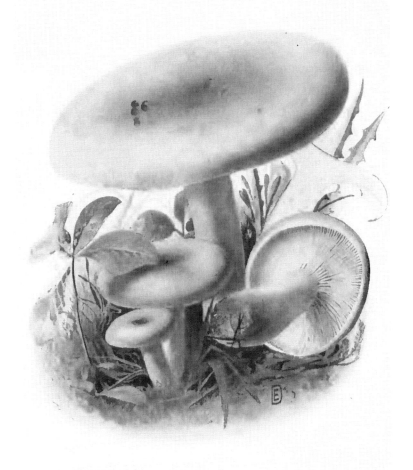

Duftender Milchpilz, Lactaria glyciosma. Genießbar.

Lucie & Meyer in Leipzig

Pfeffer=Milchpilz.

Pfefferschwamm. Weißer Kuhschwamm. Bitterschwamm.
Lactária piperáta Scop.

Durch seine großen, weißen Hüte fällt der Pfeffer=Milchpilz jedem Wald=
besucher auf und bildet im Sommer und Herbst nebst dem noch größeren wolligen
Milchpilz eine charakteristische Zierde des Laubwaldes.

Der sehr dickfleischige, steife, harte Hut ist völlig kahl und glatt, nicht klebrig.
Seine zart weiße Farbe geht später ins Gelbliche, dann ins Bräunliche über; in
diesem Stadium erweicht der Hut. Er ist am Rande in der Jugend — wie ein
Längsschnitt deutlich zeigt — stark spiralig eingerollt, im Alter tief trichter=
förmig und oft schief verbogen. Seine Breite beträgt 8—14, bisweilen sogar bis
18 cm.

Das Fleisch ist weiß, derb und fest, in der Mitte ³/₄ cm dick. Alle Teile des
Pilzes sondern beim Zerbrechen reichlich weiße, klebrige Milch ab, die äußerst
scharf schmeckt.

Die weißen Blätter stehen ungemein dicht, dichter als bei allen andern
Milchpilzen, sind aber nur an 2 mm breit, gegabelt und laufen etwas am
Stiele herab.

Der weiße, kahle Stiel wird nur 3—8 cm hoch, doch 2—4 cm dick; er fühlt sich
hart und derb an. Innen ist er markig und voll, nach unten oft verjüngt.

Der Geruch ist angenehm.

Der Pfeffer=Milchpilz wächst in großen Mengen truppweise vom Juli bis
Oktober in Laubwäldern, seltner in Nadelgehölzen.

Man sollte es kaum glauben, daß dieser beißend pfefferartig schmeckende,
recht derbfleischige Pilz in einzelnen Landesteilen von Deutschland, Rußland,
Frankreich, Italien und der Schweiz, besonders aber in Siebenbürgen, Ru=
mänien und Serbien ein beliebter Speisepilz ist. In den letztgenannten drei
Ländern wird er bei Vornehm und Gering (nach J. Römer=Kronstadt) gern
gegessen und ist hier ein häufiger Marktpilz. Freilich bereitet man ihn dort nicht
auf die in Deutschland landläufige Art zu, sondern die gereinigten Pilze werden
unzerteilt — mit vollem Milchsaft —, nachdem sie mit Speckstreifen belegt und
mit Salz bestreut sind, schnell auf einem Rost oder auf glühenden Kohlen ge=
braten und schmecken nun angenehm bitter. Meine Versuche, den Pfeffer=
Milchpilz in dieser Weise zuzubereiten, ergaben kein befriedigendes Ergebnis.
Er schmeckte nicht gerade schlecht, doch — recht eigentümlich und blieb ziemlich
zäh. Immerhin möchte ich keineswegs von ähnlichen Versuchen abraten.
Wird der Pilz gekocht, so verliert er zwar seinen beißenden Geschmack, riecht
aber widerlich terpentinartig, wird graugrün und bleibt, wenn er nunmehr
gebraten wird, lederartig derb und bitter. Nach dieser gewöhnlich bei uns
angewandten Zubereitungsart gehört er also zu den geringwertigsten und am
schwersten verdaulichen Speisepilzen.

Sehr ähnlich: Der wollige Milchpilz (L. vellerea). Hutoberfläche schimmelartig
flaumig, Rand filzig. Lamellen weitläufiger und dicker, 5—6 mm breit, später gelblich.
Stiel wollig=flaumig, nur 5—6 cm hoch und ebenso dick.

Pfeffer=Milchpilz, Lactaria piperata. Genießbar.

Luelle & Meyer in Leipzig

Wolliger Milchpilz.

Wollschwamm. Erdschieber.
Lactária vellérea Fr.

Der wollige Milchpilz ist ein Doppelgänger des Pfeffer=Milchpilzes; seine riesigen, 10—20, bisweilen sogar über 30 cm breiten, weißen Hüte, die sich leuchtend vom Waldgrunde abheben, fallen leicht ins Auge. Die Hutoberfläche ist trocken, flaumig=wollig oder schimmelartig filzig, namentlich am Rande, der anfangs stark eingerollt ist. Der Hut vergilbt im Alter, ist dann tief schüssel= oder trichterförmig und wellig verbogen; er enthält oft aufgefangenes Regen= wasser. Meist haften, wie der Name „Erdschieber" andeutet, Erdteilchen, Nadeln u. dgl. auf seinem Hut, der nur wenig über den Erdboden empor= ragt und sich zum großen Teil unter der Erde ausbildet (vgl. Grünling, grauer Ritterpilz, Kartoffel=Bovist).

Das weiße, dicke Fleisch ist derb und fest. Es enthält bei jüngeren Pilzen meist reichlich[1]) fließende, weiße Milch, die außerordentlich scharf schmeckt und auf der Zunge Bläschen erzeugen kann.

Die weißen oder weißgelben Blätter stehen ziemlich weitläufig, sind oft ge= gabelt und bisweilen rötlich=fleckig. Sie haben eine Breite von 3—6 mm, laufen nur wenig am Stiele herab, sind ziemlich dick und starr und im Alter etwas queradrig.

Der auffällig niedrige, nur 3—6 cm hohe Stiel ist derb, sehr dick (3—6 cm!), voll und mit feinem, wolligem Flaum bekleidet. Er sieht anfangs weiß aus, vergilbt aber schließlich, wie auch der Hut. Am Grunde ist er oft keglig verdünnt, während er oben allmählich in den Hut übergeht.

Der Geruch ist angenehm oder etwas modrig.

Der Pilz wächst sehr häufig im Spätsommer und Herbst in Laub= und Nadel= wäldern, auf feuchten Plätzen und an Wegen.

Der wollige Milchpilz ist — nach landläufiger Art zubereitet — ungenieß= bar. Er schmeckt, wenn er zunächst abgekocht und dann gebraten wird, immer noch bitter, scharf, bleibt zäh und riecht stechend terpentinartig oder harzig. Doch soll er, auf die beim Pfeffer=Milchpilz angegebene Art (s. vor. S.) zu= bereitet, genießbar sein. — Auf den dauerhaften, schwer verweslichen Hüten siedeln sich zuweilen zierliche Schmarotzerpilze an.

Der Pfeffer=Milchpilz (L. piperata) ist kleiner. Hut und Stiel sind glatt und kahl. Der Stiel wird meist länger. Die Blätter stehen viel dichter und sind nur 2 mm breit.

---

[1]) Die meisten Pilzwerke geben irrtümlich an, daß die Milch stets spärlich fließe oder fehle.

Wolliger Milchpilz, Lactaria vellerea. Kaum genießbar.

Ceder=Täubling.[1]

Rússula alutácea Pers.

Der Ceder=Täubling ist ein sehr schöner, großer und farbenprächtiger Pilz. Sein Hut wird 8—15 cm breit; er ist in der Jugend halbkuglig und etwas klebrig, dann flach und zuletzt in der Mitte vertieft und oft verbogen. Die Farbe wechselt bei diesem Pilz, wie auch bei zahlreichen anderen Täublingen, ganz er= staunlich. Der Hut ist blutrot, dunkel kirschrot, purpurn, mit gelblicher Mitte, lederbraun oder =gelb, olivbraun, grünrot oder lila; alt verbleicht er meist. Die glänzende Oberhaut läßt sich leicht abziehen. Der Rand ist beim entwickelten Pilz dünnfleischig und nicht oder nur wenig gerippt.

Das weiße Fleisch ist ziemlich dick ($\frac{1}{2}$—1 cm), bei jungen Pilzen fest, später weich und zart.

Die breiten Blätter stehen etwas weitläufig, sind zuerst weißgelb, dann ocker= gelb oder ledergelb. Sie werden 1—2 cm breit, sind bauchig und etwas dick; einige von ihnen sind gegabelt. Die Lamellen sind nicht an den Stiel gewachsen, stehen frei[2] oder sind angeheftet, zuweilen auch angewachsen. Die Sporen sind gelb.

Der volle, derbe Stiel wird 6—14 cm hoch und $1\frac{1}{2}$—5 cm dick. Er ist zy= lindrisch, glatt, meist weiß oder rötlich, selten blutrot gefärbt.

Ein Geruch ist kaum merklich, der Geschmack mild.

Der Ceder=Täubling findet sich vom August bis Oktober in Nadel= und Laub= wäldern, ist aber nicht überall häufig.

Ein wohlschmeckender, ergiebiger Speisepilz.

Ähnlich: Der Speise=Täubling (R. vesca). Kleiner, Hut fleischrot oder braunrot, meist bis 9 cm breit. Fleisch fester und etwas dicker. Blätter weiß, dichter, angewachsen; Sporen weiß. Stiel weiß, kürzer, fester. — Der Spei=Täubling (R. emetica). Kleiner, Hut dünn= fleischig, meist blutrot; Blätter weiß. Geschmack beißend. — Der lilagrüne Täubling (R. cyanoxantha), s. S. 25. — Außer mit diesen hat aber der Ceder=Täubling noch mit etwa 16 andern roten Täublingsarten, die außer ihm in Deutschland vorkommen, Ähnlichkeit, von denen man ihn am sichersten durch die Lamellen unterscheiden kann.

[1] Die Täublinge sind eine wahre Zierde unsrer Wälder. Mit ihren lebhaft roten, gelben, violetten oder grünen Hüten ziehen sie die Aufmerksamkeit jedes Waldbesuchers sofort auf sich. Man erkennt sie an ihren dünnen, meist einreihigen, starren, weißen oder gelben Blättchen, die nicht herablaufen. Der Stiel ist gewöhnlich weiß oder rötlich, walzen= förmig und trägt nie einen Ring. Täublinge haben keinen Milchsaft, wodurch sie sich von den Milchpilzen, ihren nächsten Verwandten, aufs deutlichste unterscheiden.

[2] Vgl. die Anm. S. 5.

Leder=Täubling, Russula alutacea. Eßbar.

Quelle & Meyer in Leipzig

Speise=Täubling.

Rússula vésca Fr.

Der Hut dieses mittelgroßen, sehr festfleischigen Täublings ist fleischrot oder=rot= braun, mit violettem Anflug, auch wohl blaß kirschrot, mit dunklerer Mitte, jung da= gegen oft weißlich. Er wird 5—9, selten bis 12 cm breit, ist glanzlos, zuerst klebrig und halbkuglig, dann flach gewölbt, trocken, mit vertiefter Mitte und glattem oder etwas gestreiftem Rande. Die Oberhaut zeigt sich nicht selten runzlig=adrig. Das Fleisch ist weiß, ziemlich dick (5—8 mm) und fest, zuweilen graufleckig, unter der Haut rötlich.

Die weißen, dünnen Blätter sind angewachsen oder etwas herablaufend, stehen dicht, sind gerade (nicht bauchig), etwa $1/2$ cm breit; sie sondern mitunter Wassertröpfchen ab, sie „tränen". Zwischen den längeren, oft gegabelten Blät= tern stehen nur wenige kürzere. Die Sporen sind weiß.

Der Stiel wird bei einer Länge von 4—9 cm 1—3 cm dick. Er ist weiß, seltner rosa angehaucht, hart elastisch und starr, innen voll und am Grunde teigig verdünnt, oft auch gedunsen und netzig gerunzelt.

Der Speise=Täubling riecht schwach und schmeckt roh angenehm.

Er ist vom Juli bis Oktober nicht selten in Laub=, Nadelwäldern und Heiden zu finden.

Dieser Täubling ist einer der wohlschmeckendsten Pilze, gleich gut zum Braten, Einmachen, zur Herstellung von Pilzwürze, sowie zum Trocknen geeignet. Man darf ihn — wie auch den blaßgrünen, lilagrünen (S. 25), grünen und Leder=Täubling — mit den besten Speisepilzen: Steinpilz, Cham= pignon, Reizker, Morchel, Lorchel u. a. auf eine Stufe stellen. Den Speise= Täubling kann man auch, gleich jungen Champignons und geschlossenen Hüten großer Schirmpilze, roh mit Butter und Salz genießen.

Ähnlich: Spei=Täubling (R. emetica). Hut meist blutrot, dünnfleischiger, zerbrech= licher, trocken glänzend. Blätter frei, dünner. Stiel leichter zerbrechlich. Schmeckt sehr scharf. — Leder=Täubling (R. alutacea). Größer. Hut sehr verschiedenfarbig, meist dunkel=kirschrot, nicht so festfleischig. Blätter breiter, alt ledergelb, bauchig, frei. Sporen gelb.

Speise=Täubling, Russula vesca. Eßbar.

Blaßgrüner Täubling.

Warziger Täubling. Herren=Täubling.

Rússula viréscens Schäff.

Dieser große, derbe, leicht kenntliche Täubling hat einen 8—15 cm breiten Hut, dessen trockne, matte Oberhaut blaßgrün, weißlich=, bläulich=, span= oder graugrün aussieht. An sonnigen Standorten verbleicht er und wird weißlich, gelbgrün oder bräunlichgrün. Die Oberhaut wird sehr bald rissig und sieht dann — ein zuverlässiges Kennzeichen — warzig=gefeldert oder höckrig aus, besonders nach dem Rande hin, von dem sie sich nicht selten ablöst. Der anfangs kuglige, starre, feste Hut wird bei fortschreitender Entwicklung flach, verbogen und weichfleischig. Der Rand ist stumpf und glatt, selten gefurcht; er weist bei älteren Exemplaren zuweilen tiefe Spalten auf.

Das weiße Fleisch ist derb und fest; im Alter wird es weich und krümlig. Es ist in der Mitte des Hutes etwa $1/_2$ cm dick.

Die Blätter stehen mäßig dicht, sind weiß, angeheftet oder angewachsen, etwas dick und ziemlich breit; nicht wenige sind hinten (am Stiel) gegabelt. Die Sporen sehen weiß aus.

Der festfleischige, dicke, oft bauchige Stiel ist weiß, schwammig=voll, oft nach unten verdickt, seltner verjüngt. Er wird 5—10 cm hoch und 2—4 cm dick.

Der Geruch ist unbedeutend, im Alter widerlich, der Geschmack angenehm mild, an Nüsse erinnernd. Der junge Pilz ist roh eßbar und schmackhaft.

Der blaßgrüne Täubling findet sich nicht selten in lichten Laubwäldern, Misch= wäldern (besonders unter Buchen und Birken), an Waldrändern und in Gebüschen. In manchen Gegenden tritt er jedoch seltener auf. Er gedeiht vom Juli, mit= unter auch vom Juni ab bis Anfang Oktober.

Ein vorzüglicher Speisepilz.

Ähnlich: Der grüne Täubling (R. livida). Kleiner, am Rande dünnfleischig. Ober= haut lebhaft grün, olivgrün, nicht warzig und rissig. Lamellen schmäler, dünner. Stiel dünner. — Außerdem die S. 25 genannten Arten.

Blaßgrüner Täubling, Russula virescens. Eßbar.

Emil & Meyer in Leipzig

Grüner Täubling.

Rússula lívida Pers. (R. heterophýlla Fr.)

Der Hut kommt entweder olivgrün, hell= oder graugrün aus der Erde hervor, bleibt auch im Alter ziemlich gleichmäßig grün, gelbgrün oder verfärbt sich ins Graubraune oder Graulila. Er wird 5—11 cm breit, fühlt sich glatt und trocken an, ist glanzlos und in der Mitte fleischig, am Rande dünnfleischig; daher sinkt die Oberhaut im Alter zwischen den Blättchen ein, und der Rand erscheint fein gerieft. Der Hut ist anfangs halbkuglig und am Rande eingebogen, dann flach und zuletzt vertieft und verbogen.

Das Fleisch ist jung ziemlich derb, wird aber bald weich, mürbe und käsig= krümlig.

Die Blätter sind weiß, stehen ziemlich dicht, sind angeheftet oder angewachsen, schmal (etwa 7 mm breit), dünn und ungleich lang oder auch gegabelt. Die Gabe= lung beginnt meist sehr nahe am Stiel. Oben, am Hutfleische, sind die Blätter meist adrig verbunden. Die Sporen sind weißgelb.

Der volle Stiel ist weiß, ziemlich fest und glatt, wird aber im Alter locker und brüchig. Er wird 5—9 cm lang und 1—3 cm dick.

Ein Geruch ist bei diesem Täubling wenig merklich, der Geschmack mild.

Er wächst vom Juli bis Oktober nicht selten in Nadel= und Laubwäldern, gern unter Birken, auf Waldwegen, in Gebüschen und auf Waldwiesen.

Der grüne Täubling ist ein vortrefflicher Speisepilz.

Ähnlich sind: Der blaßgrüne Täubling (R. virescens). Größer, dick= und festfleischiger. Oberhaut rissig und warzig=höckrig, weißlich=, blau= oder grougrün; Lamellen breiter, dicker; Stiel dicker, länger, oft bauchig. — Der lilagrüne oder Frauen=Täubling (R. cyanoxántha Schäff.). Hut viel größer, bis 16 cm breit, klebrig, lila, graulila, blaugrün, gelblich gefleckt, am ungerieften Rande oft grün. Fleisch 1 cm dick, unter der Oberhaut lilarot. Blätter dichter, breiter, zart weiß, angewachsen oder angeheftet, weich, 1—1 ½ cm breit, oft gegabelt. Sporen weiß. Stiel dicker, länger (bis 4 cm dick, bis 10 cm hoch). Meist häufig in Laubwäldern, seltner in gemischten und Nadelwäldern. Sehr wohlschmeckend. — Der gablige Täubling (R. bifida Bull., R. furcáta Pers.). Hut 6—11 cm breit, trocken, etwas glänzend, braungrün, bläulichgrün, mit gelblichem Rande oder grau=oliv. Blätter meist 1—3 mm vom Stiel gegabelt. Sporen weiß. Anfangs mild, dann etwas scharf oder bitter. Seltner. Ungenießbar oder giftverdächtig; nach C. H. Peck eßbar.

Grüner Täubling, Russula livida. Eßbar.

Lurhe & Monet in 2

Ockergelber Täubling.

Rússula ochroléuca Pers.

Der ockergelbe Täubling bildet sich schon unter der Erde fast völlig aus (wie der Grünling, der graue Ritterpilz und der wollige Milchpilz). Daher trägt der Hut nach dem Durchbrechen der über ihm liegenden Humus= oder Nadel= schicht, obwohl er wenig klebrig ist, oft anhaftende Erde oder Nadeln, und der Stiel steckt meist ziemlich tief im Boden.

Der etwas dünnfleischige, ockergelbe, oft ins Olivgrüne spielende, später ver= bleichende Hut wird 5 bis 9, zuweilen auch bis 11 cm breit. Die Oberhaut haftet in der Hutmitte ziemlich fest am Fleische; der stumpfe Rand ist glatt oder schwach gestreift.

Das weiße, anfangs feste, später lockere Fleisch wird im Alter grauweiß und ist unter der Huthaut gelblich.

Die weißen, ziemlich weitläufig stehenden Blätter sind am Stiele abgerundet, angeheftet oder stehen fast frei, seltner erscheinen sie angewachsen. Sie sind etwa 1 cm breit, wenig mit kürzeren untermischt oder etwas gegabelt und schwach adrig verbunden. Das Sporenpulver sieht weißlich aus, bei andern gelbfarbigen Täublingsarten dagegen meist gelb.

Der weiße Stiel wird 5—9 cm lang und 1—4 cm dick. Er ist voll, zuerst fest= fleischig, dann lockermartig und wird schließlich grauweiß. Seine Oberfläche ist erhaben längsgestrichelt oder fein netzartig gerunzelt.

Der Geruch des Pilzes ist angenehm, der Geschmack ziemlich scharf.

Den ockergelben Täubling findet man nicht selten (im Osten sogar sehr häu= fig) in Nadelwäldern, besonders in lockerem Nadelhumus und an moorigen, schattigen Stellen, weniger in Laubwäldern; auch im Gebirge ist er heimisch. Er wächst stets gesellig, erscheint im August, weicht erst starken Nachtfrösten und gehört zu den letzten Herbstschwämmen.

Trotz seines scharfen Geschmacks ist der ockergelbe Täubling eßbar und schmack= haft. Man tut jedoch gut, ihn vor dem Braten abzubrühen oder eine Minute zu kochen, da er sonst einen bitteren Nachgeschmack hat.

Ähnlich: Der gelbe Täubling (R. lutea Huds.). Hut dünnfleischiger, viel kleiner, gelb. Blätter dottergelb, schmäler. Sporen gelb. Stiel dünner, glatt, später hohl, zer= brechlich. Geschmack mild. Eßbar. — Auch andere gelbe Täublingsarten sind leicht mit ihm zu verwechseln.

Ockergelber Täubling, Russula ochroleuca. Eßbar.

Quelle & Meyer in Leipzig

Schwarzer Täubling.

Rússula nígricans Bull.

Der schwarze Täubling gehört zu den größten Arten der Gattung. Sein derbfleischiger, harter Hut ist schmutzig graubraun, olivbraun, rauchgrau, gelb= braun, jung meist heller oder weißlich gefleckt. Später wird er schwarzgrau, sehr fest, fast holzig, am Rande oft rissig, erweicht jedoch im Alter und färbt sich dann völlig schwarz. Er erreicht eine Breite von 8—18, zuweilen auch bis 22 cm. Die dünne Oberhaut ist oft klebrig; trocken wird sie matt oder schwach glänzend. Der Rand ist zunächst eingebogen, später streckt er sich flach, bleibt ungestreift und verbiegt sich häufig wellig.

Das harte, weiße Fleisch wird bei weiterem Wachstum des Hutes grau und zuletzt schwarz. Beim Zerschneiden oder durch Druck färbt es sich wie das Stielfleisch nach wenigen Minuten rötlich oder weinrot.

Die Blätter stehen auffallend weitläufig, werden 1½ cm breit, sind 1 bis 2 mm dick, wachsartig, starr und spröde, bauchig und an den Stiel geheftet; im Alter platzen sie oft quer und haben klaffende Risse. Kein Täubling, ja, überhaupt kein anderer Blätterpilz hat derartig dicke, starre und zugleich weit= läufig stehende Blätter, die so glasartig zersplittern, wenn man quer über sie hinstreicht. Sie sind jung weiß, werden dann holzfarben, graugelb und endlich schwarz; durch Druck und Verletzung werden sie rötlich. Es sind längere und kürzere Blätter vorhanden; sie sind zwei= bis dreireihig angeordnet. Das Sporenpulver erscheint weiß.

Der auffällig kurze, harte, volle Stiel wird 4 bis 7, selten bis 10 cm hoch, 3 bis 5 cm dick, ist jung weiß, bei Druck bald dunkler; später wird er graubraun und schließlich schwarz. Er zeigt nicht selten Risse und Gruben.

Ein Geruch ist wenig merklich, der Geschmack mild oder etwas widerlich.

Der schwarze Täubling kommt häufig im Sommer und Herbst in Wäldern vor.

Er ist jung genießbar, doch nicht besonders schmackhaft, zum Einmachen aber immerhin verwendbar. Wer diesen Täubling zum Braten verwenden will, sollte ihn zuvor zerreiben oder fein hacken. Der ganze Pilz ist schwer ver= weslich, und seine schwarzen, wie verkohlt erscheinenden Hüte sind noch (wie die des Brand=, Stink=Täublings und wolligen Milchpilzes) im folgenden Sommer zu finden. Auf ihnen wachsen dann nicht selten andre, kleinere Pilzarten (Nyctalis- oder Collybia-Arten). Seiner langen Lebensdauer wegen ist der schwarze Täubling Schnecken und Käfern in regenlosen Zeiten, in denen die übrigen Pilze geschwunden sind, zum Fraße sehr willkommen.

Der brandige Täubling (R. adústa Pers.) ist ihm sehr ähnlich, hat jedoch dichtere, weiche, schmälere und etwas herablaufende Blätter, die sich bei Druck nicht röten, und einen noch kürzeren Stiel. In Wäldern, nicht selten. Genießbar, doch geringwertig. Dieser Täubling hat, von oben betrachtet, Ähnlichkeit mit dem Mordschwamm (Lactaria necator).

Schwarzer Täubling, Russula nigricans. Genießbar.

Quelle & Meyer in Leipzig

Stink=Täubling.

Rússula foétens Pers.

Ein großer und auffälliger Täubling, dessen starrer Hut 7—15 cm breit wird. Der in der Mitte dickfleischige Hut ist jung tuglig, mit eingerolltem Rande, dann verflacht und verbiegt er sich allmählich und wird unregelmäßig höckrig. Häufig fin= det man ihn von Insektenlarven, Schnecken, Aas= und Roßkäfern, die er durch seinen starken Geruch anlockt, zerfressen. Jung ist er mit dickem Schleim bedeckt, später trocken und glänzend. Der Hut sieht gelblich, dann ockergelb und braun aus; in höherem Alter wird er schwärzlich. Der Rand ist dünnfleischig, fast häutig, anfangs glatt, dann — das sicherste Kennzeichen — mit tiefen, welligen und höckrigen Furchen versehen.

Das weißgelbliche oder grünliche Fleisch ist zart, weich und leicht zerbrechlich.

Die Blätter stehen ziemlich weitläufig und frei, sind zuerst weißlich oder weiß= gelblich, dann gelbbräunlich und braunfleckig. Sie sind ungleich lang, teilweise ge= gabelt, ziemlich dick, etwa ½ cm breit und am Grunde oft adrig verbunden. In der Jugend sondern sie häufig Wassertröpfchen ab (sie „tränen"). Die Sporen sind weiß.

Der Stiel ist sehr hoch und dick, wird nämlich 6—16 cm lang, 2—5 cm dick. Er ist weißgelb oder heller als der Hut, anfangs voll und derb, zuletzt hohl und brüchig. Sein Fleisch ist grobzellig.

Der Stink=Täubling führt seinen wenig angenehmen Namen wegen seines durchdringend starken Geruches. Es ist schwierig, eine passende Kennzeichnung für diesen zu finden; denn bei einer Riechprobe durch mehrere Personen kann man die verschiedensten Urteile hören. So bezeichnet G. Winter den Geruch als sehr scharf, H. O. Lenz: unangenehm bei älteren Exemplaren, F. Kaufmann: nach faulenden Äpfeln, K. Schwalb: widrig, mehlig=süßlich, E. Michael: ekel= erregend, widerlich stinkend. Der Verfasser fand, daß der Pilz nicht gerade „stinkt", aber widerlich modrig riecht; bei jungen Exemplaren duftet die Hutunterseite dagegen ziemlich angenehm nach bittern Mandeln. Der Geschmack ist widerlich und scharf.

Dieser Täubling wächst häufig und gesellig im Sommer und Herbst in Wäldern und feuchten Gebüschen. Seine Hüte verwesen schwer, dauern lange in trock= nem und geschwärztem Zustande aus und geben dann einen Nährboden für andre, kleinere Schmarotzer=Blätterpilze; ebenso verhält sich der schwarze Täubling und wollige Milchpilz.

Der Stink=Täubling ist ungenießbar.

Stinf=Täubling, Russula foetens. Ungenießbar.

Quelle & Meyer in Leipzig.

Spei=Täubling.

Rússula emética Schäff.

Die Hutfarbe ist sehr verschieden: blut=, purpur=, kirsch= oder hellrot; sie geht aber auch ins Rotbraune, Gelbliche oder Weiße über. Der Hut ist 5—10, seltener bis 12 cm breit, dünnfleischig, am Rande glatt oder zuletzt gefurcht, bei feuchtem Wetter klebrig, bei trocknem glänzend. Die Oberhaut kann, wie bei den meisten Täublingen, leicht abgezogen werden.

Das weiße Fleisch ist anfangs fest, im Alter leicht zerbrechlich und schwammig=weich.

Die Lamellen sind weiß oder grauweiß, gleich lang, stehen ziemlich weit= läufig, sind dünn, steif, zerbrechlich und etwas bauchig; mit dem Stiele sind sie nicht verwachsen. Das Sporenpulver sieht weiß aus.

Der Stiel ist fingerlang (6—8 cm hoch, 1—2 cm dick), weiß oder rötlich. Er ist schwammig=voll, ziemlich fest und starr, wird aber schließlich weich, mürbe und hohl.

Der Geruch ist unangenehm oder kaum merklich, der Geschmack pfefferartig brennend, was auch durch den Namen dieses Täublings angedeutet wird.

Er kommt ziemlich häufig im Sommer und Herbst in Wäldern, Waldmooren und Heiden vor.

Der Spei=Täubling gilt als giftig und hat die artenreiche, schönfarbige, vor= wiegend Speisepilze enthaltende Gattung der Täublinge[1]) stark in Verruf gebracht. Er enthält (nach R. Kobert) wahrscheinlich drei verschiedene Gifte. Da aber rote Täublinge vielerorts gegessen werden (in München z. B. kommen sie seit Jahren auf den Markt, in geringer Menge auch in Breslau), so ist anzunehmen, daß auch oft der Spei=Täubling unter ihnen sich befindet, weil er nur schwer von anderen roten Arten zu unterscheiden ist. Trotzdem sind — nach J. Schröter — lebensgefährliche Vergiftungen durch diesen Pilz noch nicht fest= gestellt. Es ist sicher, daß nicht alle scharfschmeckenden Täublinge zugleich giftig sind, da mehrere unter ihnen längst anerkannte Speisepilze sind. Der scharfe Geschmack verwandelt sich bei allen, auch beim Spei=Täubling, wenn sie gekocht werden, in einen mehr oder weniger bitteren oder kratzenden. Wahr= scheinlich wird hierbei auch der Giftstoff zerstört.[2]) Im östlichen Deutschland werden rote Täublinge nicht selten vom Volke als Speisepilze gesammelt.

Ähnlich: Der gebrechliche Täubling (R. frágilis Pers.). Kleiner und noch dünn= fleischiger. Hut 3–6 cm breit, meist purpurrot mit bräunlicher Mitte oder blaßrosa, doch auch oft wie beim Spei=Täubling gefärbt. Blätter dichter, starrer. — Vgl. auch die S. 22 genannten Arten.

[1]) Nach S. Kaufmann—Elbing, gibt es in Westpreußen z. B. an 50 Täublingsarten, von denen etwa 30 eßbar sind. 12 von diesen eßbaren, mild schmeckenden Arten sind vor= wiegend rot gefärbt und daher sehr schwer von einander zu unterscheiden. 5 rotfarbige Arten dagegen sind scharfschmeckend (darunter der Spei=Täubling). [31. Bericht des Westpr. Botan.=Zool. Vereins. Danzig, 1909.] — Ob ein Täubling eßbar ist, kann in einem Augenblick durch eine Geschmacksprobe festgestellt werden (vgl. die Anm. S. 14).

[2]) So wäre es erklärlich, daß z. B. der hervorragende Pilzforscher G. Bresadola=Trient, nie von Vergiftungen durch Täublinge gehört hat (briefl. Mitteilg.).

Spei-Täubling, Russula emetica. Giftig.

Quelle & Meyer in Leipzig

Blutroter Täubling.

Rússula sanguínea Bull.

Der derbfleischige Hut wird 4—9 cm breit und ist blutrot oder rotbraun; die Mitte ist meist dunkler, der Rand oft hell, zuweilen auch weißlich. Die Oberfläche fühlt sich glatt, feucht oder auch trocken an und ist matt, selten schwach glänzend. Der anfangs gewölbte Hut wird später flach oder vertieft. Der Rand ist wenig oder gar nicht mit eingedrückten Linien versehen.

Das weiße Fleisch ist fest und ziemlich dick, unter der abziehbaren Oberhaut rosa; im Alter wird es schwammig-weich.

Die weißen Lamellen sind ziemlich schmal, nur etwa $1\frac{1}{2}$ cm breit, angewachsen oder etwas herablaufend, wenig gegabelt, meist gleichlang und stehen dicht. Die Sporen erscheinen weiß.

Der festfleischige, volle Stiel ist rosa überlaufen oder weißlich; er wird 3—7, auch wohl bis 9 cm hoch und 1—2 cm dick.

Der Geruch ist nicht unangenehm, der Geschmack scharf brennend.

Der blutrote Täubling wächst vom August bis Oktober nicht selten in Nadel= oder gemischten Wäldern, auch an feuchteren Stellen.

Als Speisepilz noch nicht erprobt, nach Abkochung vielleicht genießbar.

Ähnlich: der Spei=Täubling (R. emetica). Hut dünnfleischiger, meist glänzend. Fleisch weicher, Blätter frei, Stiel brüchiger, zuletzt hohl. — Der Speise=Täubling (R. vesca). Hut meist fleischrot. Stiel weiß, am Grunde oft keglig verdünnt. Mild schmeckend. — Eine ganze Anzahl anderer, vorwiegend roter Täublinge kann gleichfalls mit dem blutroten Täubling verwechselt werden.

Blutroter Täubling, Russula sanguinea. Vielleicht genießbar.

Quelle & Meyer in Leipzig

Rofa Bläuling.

Russuliópsis laccáta Scop., a. rosélla Batsch. (Clitócybe laccata.)

Daß der rofa Bläuling und echte Bläuling (S. 32) zwei fehr abweichende Formen derfelben Pilzart (Russuliopsis laccata) find, ift ihnen kaum anzufehen, wird aber durch die Gleichheit der bei diefem Pilz fehr charatteriftifchen Sporen bewiefen (fie find kuglig, ftachlig=punktiert, ¹/₁₀₀ mm im Durchmeffer), fowie durch die Tatfache, daß Übergänge zwifchen beiden Formen vortommen; daher gibt diefer Bläuling oft Anlaß zu Verwechflungen. Er ift deshalb ein wahres „Schulbeifpiel" für die Abänderungsfähigteit fo vieler Pilzarten.

Der rofa Bläuling wird größer als der echte Bläuling. Sein dünnfleifchiger Hut wird 2—8 cm breit, ift braunrofa, bräunlich=fleifchfarben oder rotbraun, mit gelblichem Schimmer. In der Jugend ift er gewölbt, verflacht fich dann aber und rollt fich fchließlich oft vom Rande aus nach oben um, eine Mulde bildend. Die Mitte ift fchon beim jungen Pilz meift nabelartig vertieft und feinfchuppig.

Die 4—8 mm breiten Blätter ftehen weitläufig, find angewachfen oder faft frei, rofa, fleifchfarben oder lila (befonders bei Übergangsformen); im Alter werden fie durch die Sporen weiß bereift.

Der fteife, fchlante Stiel ift voll, zäh, grobfafrig, längsadrig und oft getrümmt. Er wird 4—12, in hohem Grafe fogar bis 20 cm hoch, ¹/₂—1 cm dick und ift duntel=braunrot, am Grunde nicht felten verdickt und zottig.

Gefchmack und Geruch find unbedeutend.

Der rofa Bläuling ift im Sommer und Herbft einer der häufigften Pilze in Nadel= und Laubwäldern, namentlich auf Waldwegen (auf feftem Boden bleibt er oft nur fehr winzig), in Waldfümpfen, Gebüfchen, Gärten, auf Äckern, fowie im Gebirge.

Er ift bis auf die zähen Stiele genießbar, aber feines dünnen Fleifches wegen recht geringwertig.

Roja Bläuling, Russuliopsis laccata, a. rosella. Genießbar.

Echter Bläuling.

Lack=Bläuling.

Russuliópsis laccáta Scop., b. amethýstina Bull. (Clitócybe laccáta.)

Durch seine prächtige, violette Färbung zieht der kleine Pilz leicht die Blicke auf sich. Er behält diese Farbe jedoch nur, so lange er jung und feucht ist; später geht sie ins Blaue, Graue oder Bräunliche über und wird endlich weißlich. Der Hut ist 2—6 cm breit, erst gewölbt, mit eingerolltem oder herabgeboge= nem Rande, dann flach oder nabelartig vertieft, während der Rand sich streckt, wellig verbiegt oder nach oben umrollt. Das dünne Fleisch sieht blaßviolett aus.

Die dicken, breiten Blättchen stehen sehr weitläufig, sind angewachsen oder et= was herablaufend, wie der Hut gefärbt und im Alter durch die weißlich lila= farbenen Sporen bestäubt.

Der volle, später hohle, zähe Stiel ist 3—8, zuweilen auch wohl bis 12 cm hoch und 4—8 mm dick. Er hat die Farbe des Hutes, ist aber hell bereift, grobfaserig, längsadrig, oft verbogen, unten verdickt und lila= oder weißzottig.

Geschmack und Geruch sind wenig merklich.

Der echte Bläuling ist häufig in Wäldern, feuchten Gebüschen, auf moorigen Heiden, Grasplätzen und im Gebirge anzutreffen. Er gedeiht vom Juni oder Juli bis Oktober.

Der echte Bläuling ist eßbar. Doch sind nur junge, noch violette Hüte (nicht aber die zähen Stiele) zu verwenden. Dieser Pilz läßt sich züchten (vgl. Bd. II, S. 88).

Ähnlich: Rosa Helmpilz (Mycena rosea). Ganzer Pilz rosa, lila oder bläulich. Blätt= chen dichter, frei. Stiel röhrig, glatt, kahl. Starker Rettichgeruch!

Anispilz.

Anis=Trichterpilz.

Clitócybe odóra Bull.

Der angenehm duftende, mittelgroße Anispilz hat einen mehr oder weniger leb= haft gefärbten, blaßgrünen Hut, der zuweilen bläulich, grau, gelblich oder bräunlich getönt ist und im Alter verbleicht. Er ist kahl, seidenartig gestreift, wird 3—6, selten auch bis 8 cm breit, fühlt sich feucht an, ist jung gewölbt, breitet sich dann aus, behält aber meist einen Buckel und vertieft sich schließlich oft muldenförmig, wobei der Rand wellig kraus wird. Das zarte Fleisch hat eine blaßgrüne Farbe.

Die gleichfalls blaßgrünen, ziemlich dicht stehenden Blättchen sind angewachsen oder laufen etwas herab.

Der Stiel ist glatt und voll, am Grunde etwas verdickt und weißfilzig. Er wird 3—8 cm hoch, ¹⁄₂—1 cm dick und ist blasser als der Hut.

Der Pilz duftet stark nach Anis (Fenchel, Esdragon, Kumarin) und schmeckt süßlich und gewürzig.

Der Anispilz wächst vom August bis Oktober ziemlich häufig und herden= weise in Laub= und Nadelwäldern.

Ein schmackhafter Speisepilz. Durch seinen Duft lockt er Pilzfliegen und =käfer wirksam zur Eiablage an.

Echter Bläuling, Russuliopsis laccata, b. amethystina. Eßbar.

Anispilz, Clitocybe odora. Eßbar.

Duelle & Meyer in Leipzig

Graukopf.

Nebelgrauer Trichterpilz. Herbstblattl.
Clitócybe nebuláris Batsch.

Der 6—14, ja zuweilen bis 18 cm breite Hut des ansehnlichen Pilzes ist hell aschgrau, weißgrau (nebelgrau) oder blaß graubraun, oft schwach lila-schim= mernd; jung ist er weißlich schimmelartig bereift, später glatt, kahl und matt. Der dicke Rand ist anfangs eingerollt, dann flach und mitunter an einer Seite eingebuchtet oder gelappt.

Das feste Fleisch sieht weiß und zart aus; es ist auffällig dick, besonders in der Mitte. Hierin weicht der Graukopf von den meist dünnfleischigen Trichterpilzen, zu denen er gehört, stark ab.

Die Blätter stehen dicht, sind weißlich und färben sich allmählich gelblichweiß oder grauweiß. Sie laufen etwas am Stiele herab und sind nur 2—3 mm breit.

Der volle, festfleischige, elastische Stiel wird 5—10 cm hoch, ist weißlich oder hellgrau, glatt oder fasrig gestreift. Er verdickt sich stark nach dem Grunde hin, ist oben 1—2, unten jedoch 2—3½ cm dick.

Der Graukopf duftet stark und durchdringend süßlich und schmeckt ange= nehm würzig.

Er erscheint meist erst Ende August, gedeiht bis zum November, siedelt sich namentlich in Laubwäldern zwischen altem Laub an, wächst aber auch in Nadelwäldern, Parkanlagen, auf Waldwiesen, zuweilen auch an verwesenden Baumstrünken. Der Pilz ist ziemlich häufig und tritt oft truppweise oder in Ringen (Hexenringen) auf.

Der Graukopf ist ein wertvoller Speisepilz, der noch im Spätherbst reich= liche Ernten gibt, wenn die meisten anderen Speisepilze bereits verschwunden sind. Er hat einen besonders charakteristischen, angenehmen Geschmack. Einzelne Feinschmecker finden ihn ausgezeichnet, andre sonderbar und wenig angenehm. Der Graukopf eignet sich vorzüglich zum Trocknen und kann zum Würzen ver= wendet werden. Auch zur Herstellung von Pilzextrakt (s. Bd. II, S. 95) ist er sehr wohl geeignet. Leider ist er als Speisepilz ziemlich unbekannt, und nur an wenigen Orten kommt er auf den Markt; in München dagegen gehören die „Herbstblattln" zu den beliebtesten Marktpilzen (vgl. die Übersicht Bd. II, S. 78). Der starke Duft dieser Pilze zieht viele Insekten herbei, sie sind daher leider oft madig. Nur jüngere Pilze sind wohlschmeckend!

Graukopf, Clitocybe nebularis. Eßbar.

Quelle & Meyer in Leipzig

Drehling.

Aufternpilz. Muſchelpilz. Eichhännchen.

Pleurótus ostreátus Jacq. (Clitócybe ostreata.)

Dieſer ſchon ſeit alter Zeit bekannte Speiſepilz bildet gewöhnlich zuſammenhängende, raſenartig wachſende Maſſen von Fruchtkörpern, die dachziegelartig über und nebeneinander hervorſprießen. Ein ſolcher Pilzraſen erreicht unter günſtigen Umſtänden ein Gewicht von 1—2 kg. Die weich und dickfleiſchigen Hüte ſind meiſt halbiert und muſchelförmig (Auſternpilz!), ſchräg aufſteigend, ſeltner faſt regelmäßig und wagerecht ſtehend, dann mit vertiefter Mitte. Sie werden 6—15, ſelbſt bis 20 cm breit, ſind glatt und kahl, jung ſchwärzlich, ſpäter grau, bräunlich oderfarben oder graubläulich; feucht ſind ſie dunkler, im Alter und bei Trockenheit verbleichen ſie. Der junge Pilz hat einen eingerollten Rand.

Das zarte, weiche Fleiſch iſt weiß und wird oft über 1 cm dick.

Die weißen, etwa 1 cm breiten, im Alter grauen oder gelblichen Lamellen laufen am Stiele herab, ſtehen ziemlich weitläufig und ſind in der Nähe des Stieles veräſtelt und verwachſen. Die weißlichen oder hellockerfarbenen Sporen ſind (nach S. Pfuhl) klebrig und haften daher leicht an Baumſtämmen, an die ſie durch den Wind geweht werden.

Der kurze, weiße Stiel iſt 2—4 cm lang, 1—3 cm dick, voll und feſt, am Grunde weißhaarig und mitunter knollig. Er ſteht faſt immer ſeitlich, am Hutrande, ſelten exzentriſch oder zentral, iſt oft nur undeutlich wahrnehmbar oder fehlt gänzlich.

Der Drehling riecht und ſchmeckt angenehm mild.

Man findet ihn meiſt an alten Laubholzſtümpfen, oder er bricht als Schmarotzer aus Spalten am Grunde lebender Stämme hervor. Obſtbäume, Weißbuche und Eſche meidet der Drehling. Er erſcheint erſt vom September bis November (ſelten auch im Frühjahre) und iſt nicht gerade häufig zu finden.

Ein guter und ergiebiger Speiſepilz, der nicht ſelten auch auf den Markt gebracht wird. Er läßt ſich auf Baumſtümpfen züchten.

Drehling, Pleurotus ostreatus. Eßbar.

Glöckchen=Nabelpilz.

Omphália frágilis Schäffer. (O. campanélla Batsch.)

Das zierliche Pilzchen hat einen dünnhäutigen, ¹/₂—2 cm breiten Hut. Er
ist glockenförmig, in der Mitte vertieft (genabelt), wässerig=feucht, lebhaft rotgelb
oder rostbraun und am Rande gestreift.

Die rostfarbenen oder braungelben Blätter stehen weitläufig, laufen weit am
Stiele herab und sind adrig verbunden.

Der dünne Stiel wird 2 bis 4, seltner bis 6 cm hoch, etwa 1 mm dick und geht
allmählich in den Hut über. Er ist anfangs voll, später hohl, oben gelbbraun,
unten dunkelbraun und am verdickten Grunde gelb seidenhaarig.

Der kleine Pilz wächst mit Unterbrechungen vom Frühling bis Herbst häufig
in kleinen Rasen an modernden Nadelholzstümpfen, die er mitunter — einen
hübschen Anblick bietend — völlig überzieht. Besonders gedeiht er in feuchten
Wäldern und im Gebirge.

Zum Genuß ungeeignet.

Herber Knäuling.

Herber Zähpilz.

Pánus stípticus Bull. (P. semipetiolátus Schäff., Lentínus st.)

Dieser niedliche Baumpilz hat 1—3, selten auch bis 5 cm breite, sehr dünn=
fleischige, nieren=, muschel= oder halbkreisförmige, zähe Hütchen. Sie sind grau=
gelb, bräunlich oder ockerfarben, im Alter blasser, vertieft gezont und mehlig=
schuppig. Der dünne Rand ist anfangs eingerollt, später wird er oft kraus
und wellig geschweift. Trocken wird der ganze Pilz hart, aufgeweicht wieder
biegsam und lederartig.

Die dünnen, schmalen Blätter stehen sehr dicht, sind ockerfarbig bis zimt=
braun und am Grunde adrig verbunden; der scharf abgegrenzte, bogenförmige
Lamellenansatz am Stiele ist sehr zierlich. Die Sporen sind weiß.

Der glatte Stiel steht seitlich am Hute, sehr selten mittelständig, verdickt sich
nach oben hin, ist wie der Hut gefärbt und wird 1—2 cm lang.

Das Pilzchen schmeckt zunächst widerlich süßlich, dann herb zusammen=
ziehend und zuletzt brennend.

Der herbe Knäuling wächst häufig das ganze Jahr hindurch rasig an alten
Laubholzstümpfen, besonders an Eichen, selten an Nadelholz oder an tieferm
Holzwerk in Wohnungen.

Ungenießbar.

Glöckchen=Nabelpilz, Omphalia fragilis.   Herber Knäuling, Panus stipticus.
Ungenießbar.   Ungenießbar.

Quelle & Meyer in Leipzig

Gelbstieliger Helmpilz.

Mycéna epipterýgia Scop.

Der dünnhäutige, etwas zähe Hut dieses zierlichen Helmpilzes wird 1—2½ cm breit. Er ist verschiedenfarbig: gelblich, weißlich, grau, rotbräunlich und mit einer klebrigen, zähen, abtrennbaren Schleimschicht überzogen. Jung ist er glockig oder kegelförmig, dann ausgebreitet und am Rande gestreift.

Die weißlichen Blätter stehen ziemlich weitläufig, sind angewachsen und haben ein herablaufendes Zähnchen.

Der schlante, hohle Stiel ist zäh, feucht sehr klebrig, oben blaß, unten gelb und am Grunde weißzottig. Er wird 5—10 cm lang, aber nur 1—2 mm dick und ist glasartig durchscheinend.

Der gelbstielige Helmpilz wächst vom August bis November häufig und herden= weise in Wäldern, zwischen Moos und Blättern, an Baumstrünken und auf abgefallenen, verwesenden Ästchen.

Ungenießbar.

Rosa Helmpilz.

Mycéna rósea Bull. (Mycena púra Pers.)

Der 3 bis 6, nur selten bis 8 cm breite Hut ist dünnfleischig, kahl, rosa, lila, bläulich, mitunter auch weißlich oder in der Mitte rotbräunlich; er verbleicht im Alter. Anfangs formt er sich glockig, wird dann flach und in der Mitte oft gebuckelt. Der Rand ist meist gestreift, feucht durchwässert und häufig verbogen.

Die oft über 1 cm breiten Blätter sind gewöhnlich wie der Hut gefärbt und verblassen bald. Sie stehen nicht besonders weitläufig, sind frei oder ausgerandet, oft auch buchtig angeheftet und oben — am Hutfleisch — queradrig.

Der steife, röhrige Stiel ist zäh, glatt und kahl, am Grunde etwas zottig. Er hat die Farbe des Hutes, ist auch nicht selten dunkler und wird 3—7, ausnahms= weise aber auch bis 9 cm hoch und 2—7 mm dick.

Ein zuverlässiges Merkmal ist der starke Geruch nach Rettich oder auch nach vermodernden Kartoffeln.

Dieser Helmpilz ist im Sommer und Herbst sehr häufig in Laub= und ge= mischten Wäldern, in Gebüschen und auf moorigen Heiden, seltner in Nadel= wäldern. Auf faulendem Laube erscheint er oft herdenweise.

Genießbar, aber wegen seines eigenartigen Duftes geringwertig.

Ähnlich ist der echte Bläuling (Russuliopsis laccata, b. amethystina). Ganzer Pilz violett. Blätter weitläufiger, angewachsen. Stiel voll, fasrig=rauh. Geruchlos.

Gelbstieliger Helmpilz, Mycena epipterygia. Ungenießbar.

Rosa Helmpilz, Mycena rosea. Genießbar.

Winterpilz.

Samt=Rübling.
Collýbia velútipes Curt.

Der dünnfleiſchige, 3—8 cm breite Hut hat eine ſehr verſchiedenartige Fär=
bung: braungelb, hellbraun, orange, honiggelb, weiß; die Mitte ſieht gewöhn=
lich dunkler, oft kaſtanienbraun aus. Er iſt jung weich, im Alter etwas zäh, kahl,
glatt und bei feuchtem Wetter ſehr klebrig. Anfangs iſt der Hut glockig, ſpäter
ausgebreitet, oft geſchweift oder wellig.

Das weiße oder weißgelbliche Fleiſch iſt etwas zäh.

Die anfangs weißen, dann gelblichen oder holzfarbenen Blätter ſtehen ziem=
lich weitläufig, ſind ¹/₂—1 cm breit, etwas bauchig und zuweilen queradrig.
Sie ſind angeheftet[1]), laufen aber kurz ſtrichartig herab. Wie bei der Mehrzahl
der Blätterpilze haben die Lamellen eine dreifach verſchiedenartige Länge (ſind
dreireihig angeordnet).

Der volle Stiel iſt ſamthaarig, braun, graubraun, ſchokolade= oder zimt=
farben, an der Spitze meiſt gelblich, am Grunde ſchwärzlich. Er wird 5—10 cm
hoch, etwa ¹/₂—1¹/₂ cm dick, iſt ſehr zäh, oben gerieft, oft zuſammengedrückt
oder gedreht und läuft nicht ſelten in eine wurzelartige Verlängerung aus.

Ein Geruch iſt wenig merklich, der Geſchmack nicht gerade angenehm, etwas
laugenhaft.

Dieſer Pilz kommt häufig an alten Laubholzſtümpfen vor; er befällt aber
auch lebende Laubbäume. Das Myzel zieht ſich zwiſchen Rinde und Holz in
langen Strängen hin und bringt die erkrankenden Bäume ſchließlich zum Ab=
ſterben. Beſonders den Weidenkulturen iſt der Winterpilz ſehr ſchädlich. Seine
Fruchtkörper brechen nicht ſelten in 1—2 m Höhe büſchlig ode raſig aus
Rindenritzen hervor. Er erſcheint erſt im September, erträgt einige Kältegrade,
und man findet ihn in milden Wintern, oft unter dem Schnee verborgen,
bis zum Februar. (Die nebenſtehend gemalten Pilze ſind am 2. Dezember
1908 gefunden.)

Der Winterpilz iſt, abgeſehen von dem Stiele, eßbar und wohlſchmeckend
und liefert mitunter noch in der Weihnachtszeit friſche und dann um ſo mehr
geſchätzte Pilzgerichte. Auch ſteif gefrorene Winterpilze[2]) eignen ſich ſehr
wohl zur Zubereitung, ſofern Lamellen und Fleiſch noch zart weißgelb ſind.

---

[1]) Bezüglich der Bezeichnungen „angeheftet", „frei", „angewachſen", „ausgerandet"
ſ. die Anm. S. 5.

[2]) Der Verfaſſer erprobte am 1. Januar 1910 ein Gericht gebratener, friſcher Winterpilze, das trefflich mundete. Die Pilze waren bei 4° C hart gefroren und hatten ſich in
drei milden Dezemberwochen, in denen oft Regen fiel, kräftig entwickelt.

Winterpilz, Collybia velutipes. Eßbar.

Waldfreund.
Wald=Rübling.
Collýbia dryóphila Bull.

; Der 3 bis 5, selten bis 7 cm breite, weiche, sehr dünnfleischige Hut ist weißlich=
oderfarben mit dunklerer Mitte oder bräunlich; trocken wird er blasser und be=
kommt mitunter Querrisse. Der Rand ist oft dunkel durchseuchtet (vgl. Stock=,
Suppenpilz, rosa Helmpilz und glatter Rübling). Jung erscheint der Hut ge=
wölbt, später flach oder vertieft, schwach gebuckelt und meist wellig verbogen.
; Die dichtstehenden, schmalen Blättchen stehen frei, sind weißlich, im Alter
gelblich und geschlängelt.

Der glatte Stiel ist weißgelb, hellbraun oder gelbrötlich, am Grunde rotbraun oder
braun. Er wird 3—8 cm lang, 3—6 mm dick, ist röhrig und weich, aber etwas zäh.
Geruch und Geschmack sind nicht besonders angenehm.

Standort: In Wäldern, auf Heiden und Grasplätzen. Der Waldfreund ist einer
der gemeinsten Pilze, wächst oft truppweise, in Reihen und bildet zuweilen
„Hexenringe" (vgl. Bd. II, S. 54) von mehr als 5 m Durchmesser. Man findet
ihn vom Mai oder Juni bis zum Oktober.

Eßbar, ohne den Stiel.

Ähnlich: Filziger Schwindpilz (Marasmius peronatus). Größer, Hut zäh, grau=
braun. Blätter sehr weitläufig, derber, jung gelb, alt bräunlich. Stiel härter, unten
gelbfilzig. Geschmack scharf. — Suppenpilz (Mar. caryophylleus). Hut etwas dick=
fleischiger, elastischer. Blätter weitläufig, dicker. Stiel härter, steifer, weißlich=filzig.
Geschmack gewürzig. Meidet schattige Wälder.

Glatter Rübling.
Butter=Rübling.
Collýbia butyrácea Bull.

Sehr veränderlicher Pilz, der aber an der talgartigen Glätte seines
Stieles und Hutes unschwer zu erkennen ist. Der dünnfleischige, etwas fett=
glänzende Hut wird 4—8 cm breit. Er fühlt sich glatt und feucht an, ist ocker=
farbig mit dunklerer, brauner Mitte oder braun, braunrot, braungrün oder
weißgrau; alt wird er blasser oder weißlich. Jung ist er gewölbt, wird dann
flach, bleibt aber meist gebuckelt, verbiegt sich häufig wellig oder rollt sich nach
oben um. Der Rand zeigt sich oft dunkel wässerig gezont und streifig.

Die dichtstehenden Blätter sind weich, etwas angeheftet oder frei. Ihre Färbung
ist oben (am Hutfleische) blaß rotbräunlich, nach der welligen Schneide zu weißlich.

Der glatte, bald hohl werdende Stiel ist ähnlich wie der Hut gefärbt, mit=
unter auch dunkler, braungrau bis schwarzbraun oder schwarzgrün; er verbleicht
jedoch nicht wie der Hut und ist oft weißlich bereift. Er wird 4—8 cm lang, ist
fast kegelförmig und am Grunde gewöhnlich knollig verdickt, so daß er unten
bis 2, oben nur $\frac{1}{2}$—1 cm dick ist. Außen ist der Stiel knorplig=hart, oft
gedreht, dicht längsstreifig, am Grunde meist weißfilzig, innen dagegen weiß
und längsfasrig.

Der Geschmack ist nicht gerade angenehm, der Geruch unbedeutend.

Im Herbst, selten auch im Frühjahr und Sommer, ist der glatte Rübling sehr
häufig und herdenweise in Wäldern und auf Heiden anzutreffen.

Eßbar, aber geringwertig. Die Stiele sind nicht verwendbar.

Waldfreund, Collybia dryophila. Eßbar.

Glatter Rübling, Collybia butyracea. Genießbar.

Wurzel=Rübling.

Collýbia radicáta Relh. (C. macroúrus Scop.)

Der dünnfleischige, aber steife und zähe Hut wird 5 bis 8, wohl auch bis 11 cm breit. Er ist gelblich, gelbgrau, rehbraun, graubraun oder weißlich, fühlt sich klebrig an und ist mit erhabenen, radial verlaufenden, gewundenen Streifen versehen. In der Jugend erscheint er kegelförmig oder glockig, dann flach und endlich in der Mitte vertieft, aber gebuckelt.

Die weißen, dicken Blätter stehen weitläufig, sind bauchig, ½ cm breit, an den Stiel gewachsen, oft zahnförmig herablaufend oder fast frei. Die Sporen sind wie bei allen Rüblingen weiß.

Der auffallend schlanke, volle Stiel ist glatt, kahl und heller als der Hut gefärbt; nach oben hin wird er weißlich. Er ist sehr fest und steif, hat gedrehte Längsstreifen und wird 8 bis 15, bei üppigen Exemplaren bis 20 cm lang; seine Dicke beträgt aber unten nur 1—2, oben ½—1 cm. Meist endet der Stiel in eine 10—15 cm lange, spindelartige „Wurzel", die tief in den Waldboden, und zwar gewöhnlich zu unterirdisch liegendem Holz oder Baumwurzeln reicht, oder sich an den Wurzeln der Baumstümpfe, an denen der Pilz gern wächst, entlang zieht. Der Wurzel=Rübling bietet mit seinem überlangen Stiel und der wurzel= artigen Verlängerung einen sonderbaren Anblick.

Er ist nicht selten im Sommer und Herbst in Wäldern, besonders in Laubge= hölzen und an alten Baumstrünken zu finden.

Die Hüte sind genießbar, aber sehr minderwertig, die Stiele recht zäh.

Wurzel=Rübling, Collybia radicata. Genießbar.

Grünling.

Echter Ritterpilz. Grünreizker. Gelbreizker. Gänschen.
Tricholóma equéstre L.

Der fast immer mit Erde oder Nadeln bedeckte, schmutzige und unansehnliche Grünling bietet, von unten gesehen, mit seinen leuchtend gelben Blättern einen überraschend schönen Anblick.

Sein fleischiger Hut ist anfangs halbkuglig oder kegelförmig, mit eingebogenem Rande, später breitet er sich aus und wird flach gewölbt. Er ist oft stumpf ge= buckelt, am Rande verbogen und fühlt sich bei feuchtem Wetter schleimig=klebrig an. Auch jung ist er klebrig, bildet sich schon unter der Erde fast vollständig aus und nimmt daher beim Emporwachsen Erde und Humusteilchen mit. Der Hut wird 6—10 cm breit und ist dunkel=olivbraun, grüngelb oder braungelb, in der Mitte dunkler. Die Oberhaut, die schwach glänzend und meist mit anliegenden Faserschuppen versehen ist, läßt sich leicht abziehen. Das Sporen= pulver ist weiß, wie bei fast allen Ritterpilzen.

Das Fleisch sieht anfangs weiß, später weißgelblich aus.

Die Lamellen sind prächtig schwefelgelb, ½—1 cm breit, stehen dicht, frei oder sind ausgerandet.

Der schwefelgelbe, glatte oder feinschuppige, volle Stiel ist zuerst knollig; später streckt er sich und wird 4—6 cm lang, 1—2 cm dick. Er steckt meist etwa zur Hälfte im sandigen Boden, so daß der Hut nur wenig über die Erde emporragt und deshalb leicht übersehen wird.

Der Grünling ist geruchlos und schmeckt mild, zuweilen aber etwas kratzend.

Man findet ihn erst etwa Ende August; er gedeiht bis zum November in sandigen Nadelwäldern, besonders in Kiefernwäldern und auf Grasheiden, und tritt oft massenhaft auf.

Der Grünling gehört zu den wohlschmeckendsten Speisepilzen, läßt sich vielseitig verwenden und ist, wo er häufig vorkommt, ein wichtiger Handelsartikel, wie in Berlin, Breslau, Dresden, Leipzig und Danzig; dagegen fehlt er z. B. um München. Vor der Zubereitung wird die Oberhaut abgezogen und die Blätter werden, falls sie sehr sandig sind, beschnitten. Die zerkleinerten Pilze müssen durch gründliches Waschen vom anhaftenden Sande befreit werden.

Ähnlich: Der schwefelgelbe Ritterpilz (T. sulfureum). Riecht sehr widerlich. Hut schwefelgelb, nicht klebrig, matt. Fleisch gelb. Lamellen weitläufiger. Der Stiel steckt nicht tief in der Erde.

Grünling, Tricholoma equestre. Eßbar.

Huf=Maipilz.

Huf=Ritterpilz.   Großer Maischwamm.   Maitreisling.
Tricholóma gambósum Fr.

Der fleischige Hut, der 5—10, selten auch bis 14 cm breit wird, ist-in der Jugend hoch gewölbt; wenn er sich aber ausbreitet, verbiegt er sich meist, wird oft hufförmig, höckrig und grubig. Er ist weiß, weißgelb oder tongelb, glatt, im Alter rissig und verblassend; der anfangs eingerollte Rand ist schwach filzig. Die dünne Oberhaut läßt sich schwer abziehen.

Das weiße, zarte Fleisch wird bis 1 cm dick.

Die weißlichen, schmalen Blätter stehen dicht, sind zart und brüchig, am Stiele ausgerandet oder mit einem herablaufenden Zähnchen angeheftet. Sie sind mit kürzeren Blättchen gemischt und etwas gegabelt. Bei Verletzung und Druck bleiben sie unverändert weißlich.

Der volle, feinfasrige Stiel wird bei einer Höhe von 5—9 cm 1—2¹/₂ cm dick. Er ist weiß, am Fuße gelblich, zartflockig und festfleischig.

Der Geruch ist kräftig mehlartig, der Geschmack angenehm.

Wie sein Name besagt, erscheint der Huf=Maipilz bereits im Mai (und Juni) auf Wiesen, bebuschten Grasplätzen, in Gärten, an Wegen und Waldrändern. Doch ist er nicht allgemein verbreitet und fehlt in manchen Gegenden völlig. Zuweilen wächst er gruppenweise in kleinen Kreisen (Kreisling!) oder Reihen, wobei dann mitunter die Stiele mehrerer Exemplare am Grunde ver= wachsen sind.

Der große Maischwamm ist ein ausgezeichneter Speisepilz und besonders deshalb wertvoll, weil er im Frühjahre, also zu einer pilzarmen Zeit erscheint. Er ist z. B. in München, Breslau und Stuttgart ein beliebter Marktpilz.

Ähnlich: Der kleine Maipilz (T. gravéolens Pers.). Hut kleiner, 4—6 cm breit, weißlich oder etwas rosa, im Alter und bei Druck oderfarben gefleckt; Rand eingerollt, kahl. Blätter weißlich, bei Verletzung bräunlich werdend, alt grau. In Laubwäldern, auf Triften. Nicht überall verbreitet. Er wird oft mit dem vorigen verwechselt. Beide sind gleich wertvolle Speisepilze und werden als „Maipilze" zu Markt gebracht.

Huf=Maipilz, Tricholoma gambosum. Eßbar.

Blauer Ritterpilz.

Zweifarbiger Ritterling. Masten=Ritterpilz.
Tricholóma bícolor Pers. (Tr. personátum Fr.)

Der Hut ist in jüngerem Zustande schön blauviolett; im Alter verbleicht er und geht ins Bräunliche über. Er ist festfleischig, kahl, wird 7—12, seltner bis 18 cm breit, ist gewölbt, regelmäßig rund oder auch wellig verbogen, schließlich aber flach. Am Rande ist der Hut anfangs stark eingerollt, etwas filzig und bereift, später dagegen glatt und scharf. Die Oberhaut läßt sich abziehen. Das Fleisch ist blauviolett oder blau.

Die blauvioletten, dann blauweißen, endlich bräunlichen Blätter stehen dicht, sind ½—1 cm breit, etwas bauchig und nicht an den Stiel gewachsen (frei). Sie sind wie bei fast allen Ritterpilzen mit kürzeren Blättchen gemischt. Die längeren Blätter spalten sich mitunter quer. Das Sporenpulver erscheint weißlich=ockerfarben, blaß=rosa schimmernd und bestäubt oft reichlich die Be= gleitpflanzen.

Der derbe Stiel ist 5—10 cm hoch, 1—3 cm dick, blauviolett oder hellblau, später weißlich, voll, außen glatt und etwas längsstreifig. Am Grunde ist er etwas knollig und lila filzig; auch das Fadengeflecht, in das er übergeht, ist hell blaulila.

Der Pilz duftet angenehm, fast mandelähnlich und schmeckt würzig.

Er kommt vom September bis November häufig in Wäldern, Gebüschen, Gärten, zuweilen auch auf Wiesen vor und wächst oft in Reihen oder Kreisen (s. Hexenringe, Bd. II, S. 54).

Der blaue Ritterpilz hat einen kräftigen, eigenartigen, aber recht guten Geschmack; besonders eignet er sich zum Einmachen in Essig (vgl. Bd. II, S. 95). Die unteren Hälften der derben Stiele sind nicht verwendbar. Der Pilz wird stark von Larven heimgesucht.

Ähnlich: Der lila Dickfuß (Inoloma traganum). Hut jung mit lila, später rostbraunem Schleier am Rande. Fleisch des Hutes und Stieles braungelb. Blätter und Sporen zimt= farben; Stiel dicker knollig. — Der echte Bläuling (Russuliopsis laccata, b. ame-thystina) ist zwar ähnlich gefärbt, kann aber kaum mit dem blauen Ritterpilz verwechselt werden. Doch haben einige andre, nicht genießbare Ritterpilze, sowie mehrere Dickfuß= (Inoloma-)Arten Ähnlichkeit mit ihm. Nur genaue Beobachtung aller angegebenen Merkmale schützt vor unliebsamer Verwechslung!

Blauer Ritterpilz, Tricholoma bicolor. Eßbar.

Grauer Ritterpilz.

Tricholóma portentósum Fr.

Der aschgraue, ins Gelbe oder Braune neigende, in der Mitte dunklere, flei=
schige Hut entwickelt sich schon ziemlich weit, wenn er sich noch unter der Erde
befindet und ist daher, da er anfangs klebrig ist, meist mit Sand, Nadeln u.dgl.
bedeckt (wie der Grünling). Auch später bleibt er bei feuchtem Wetter klebrig=
schleimig. In der Jugend ist der Hut hoch gewölbt oder kegelförmig, dann ver=
flacht er sich, wobei aber in der Mitte meist ein Buckel verbleibt; er verbiegt sich
oft unregelmäßig, wird etwas höckrig und am Rande wellig gebuchtet. Sein
Durchmesser beträgt 7—12, bei sehr üppigen Exemplaren bis 15 cm. Die leicht
abziehbare Oberhaut ist mit schwärzlichen, eingewachsenen Fasern oder Linien
versehen.

Das zarte Fleisch sieht weiß aus, vergilbt aber allmählich.

Die mäßig weit stehenden Blätter sind hinten abgerundet, angeheftet, breit,
weiß und im Alter gelblich oder gelbgrau.

Der kräftige, volle Stiel wird 7—10, selten bis 15 cm hoch und $1^1/_2$—$2^1/_2$ cm
dick. Er ist weiß oder gelblich, etwas gestreift, kahl, glatt und walzenförmig. Ge=
wöhnlich steckt er mehr oder weniger tief im Erdboden; daher ragt der Hut
nur wenig hervor. Bricht man den Stiel durch und spaltet ihn, so rollt sich das
äußere, fasrige Randgewebe allmählich spiralig nach außen.

Der graue Ritterpilz riecht und schmeckt etwas laugen= oder seifenartig.

Er erscheint gewöhnlich erst im September und findet sich bis zum Eintreten
des Frostes vor. Am besten gedeiht er in sandigen Nadelwäldern, unter Kiefern,
seltner in Laubwäldern. Er tritt oft in großer Menge auf und wächst gruppen=
weise, selten einzeln.

Ein vortrefflicher Speisepilz. Die Oberhaut muß vor der Zubereitung
entfernt werden.

Ähnlich: Der Erd=Ritterpilz (T. térreum). Kleiner und zerbrechlicher. Hut trocken,
grau, nicht ins Gelbe neigend, feinschuppig. Blätter und Stiel weiß, im Alter grauweiß.
Gedeiht schon im Sommer, steckt nicht zum Teil in der Erde. — Der Seifen=Ritterpilz
(T. saponáceum Fr.). Hut trocken, glatt, später in kleine Schüppchen zerspalten, weißgrau,
ins Grünliche oder Bräunliche übergehend, nicht selten rötlich fleckig, Rand meist heller.
Fleisch derber, beim Durchbrechen sich langsam rötend. Blätter weitläufiger. Stiel
derber, oft mit eingewachsenen Schüppchen, unten meist spindelförmig verdünnt. Geruch
seifenartig. Häufig in Nadelwäldern, im Sommer und Herbst. Eßbar.

Grauer Ritterpilz, Tricholoma portentosum. Eßbar.

Rötlicher Ritterpilz.

Tricholóma rútilans Schäff.

Der rötliche Ritterpilz ist einer der schönsten Pilze unserer Wälder. Hut und Stiel sind in der Jugend mit prächtig purpurrotem, feinem Filz bedeckt. Später verliert sich dieser Überzug allmählich, der Hut wird rotgelb und schließlich gelb oder braungelb, bleibt aber rotflockig und =schuppig; die Mitte ist oft gebuckelt und dunkelpurpurn. Anfangs formt sich der Hut glockenförmig und hat einen eingerollten Rand, dann verflacht er sich und streckt den Rand gerade. Seine Breite beträgt 6—12, auch wohl bis 15 cm. Die Oberhaut läßt sich abziehen.

Das gelbe Fleisch ist fest, im Alter aber weichlich=breiig.

Die enge stehenden Blättchen sind schön goldgelb, etwas ausgerandet, un= gleich lang und — wie man mit der Lupe deutlich erkennen kann — an der etwas verdickten Schneide sehr fein gesägt.

Der mehr als fingerlange (6—10 cm) und =dicke Stiel ist wie der Hut ge= färbt, oben jedoch heller. Er ist zylindrisch, zuerst voll, allmählich aber hohl. Geruch und Geschmack sind unbedeutend.

Dieser Ritterpilz wächst häufig vom August bis November in Wäldern und Gebüschen, besonders an morschen Baumstümpfen oder in der Nähe alter Bäume (Kiefern, Birken u. a.). Seltner kommt er als Parasit an lebenden Bäumen vor.

Der rötliche Ritterpilz ist ein guter Speisepilz, eignet sich auch trefflich zum Einmachen; doch sind nur junge Exemplare schmackhaft. Leider wird er oft von Larven angegangen. Er ist sehr leicht erkennbar und kann kaum mit anderen Pilzen verwechselt werden.

Rötlicher Ritterpilz, Tricholoma rutilans. Eßbar.

Erd=Ritterpilz.

Mäuse=Ritterling.

Tricholóma térreum Schäff.

Der dünnfleischige, trockne, weiche, zerbrechliche Hut ist erdfarben: grau, mäusegrau, weißgrau, graubraun oder graubläulich und mit fasrigen, dunkeln, eingewachsenen Schüppchen und Fäden bedeckt. Er ist anfangs glocken= oder kegelförmig, dann ausgebreitet, bleibt aber in der Mitte meist spitz gebuckelt und wird 5—8 (bis 10) cm breit. Bei trocknem Wetter zerreißt die Oberhaut und wird rissig.

Die zarten, weißlichen, später grauen Blätter sind mehr oder weniger aus= gerandet, laufen zahnartig am Stiele herab, sind an der Schneide schwach wellig gekerbt und im Alter rissig.

Der weiche, zerbrechliche Stiel ist weißlich, blaßgrau, glatt oder angedrückt fasrig. Er ist innen voll, schlant, walzig, 4—8 cm hoch und 1—1½ cm dick.

Der Erd=Ritterpilz riecht etwas nach Mehl; sein Geschmack ist unbedeutend.

Man findet ihn sehr häufig im Sommer und Herbst, seltner im Frühjahre in Wäldern, Gebüschen und an Wegrändern, besonders auf sandigem Boden.

Er ist eßbar, aber von ziemlich geringem Werte.

Der Erd=Ritterpilz ist mehreren anderen graufarbigen Ritterpilzen ähnlich.

Erd=Ritterpilz, Tricholoma terreum. Genießbar.

Schwefelgelber Ritterpilz.
Tricholóma sulfúreum Bull.

Alle Teile dieses übelriechenden Pilzes sind schwefelgelb. Der Hut wird im Alter schmutzig gelbbraun oder etwas rotbräunlich; die Mitte ist oft dunkler gefärbt. Er erreicht eine Breite von 4—8, selten bis 10 cm, ist anfangs fein seiden= fasrig, dann kahl. Er ist glanzlos, trocken, glatt und mitunter höckrig.

Das schwefelgelbe Fleisch färbt sich bei zunehmendem Alter schmutzig gelb= rötlich.

Die ziemlich dicken, breiten Blätter stehen weitläufig, sind wie der Hut gefärbt und tief ausgerandet, wobei jedoch an der Ansatzstelle gewöhnlich eine herab= laufende Linie, ein sog. Zahn, sichtbar wird.

Der volle, später etwas hohle Stiel ist zylindrisch, wird 5—10 cm hoch und ¹/₂—1¹/₂ cm dick. Seine Farbe gleicht der des Hutes; er ist zart gestrichelt und oft verbogen.

Der schwefelgelbe Ritterpilz riecht recht unangenehm nach altem, faulendem Holz; doch sind die Urteile über seinen Geruch äußerst verschieden. E. Fries und H. O. Lenz geben an, er rieche nach den Blüten des Pfeifenstrauches (Philadel= phus, „Jasmin"), De Candolle: nach faulendem Hanf, M. Berkeley: nach Kohlen= teer, F. Kaufmann=Elbing: nach Schwefel. Auch der Geschmack ist widerlich.

Der schwefelgelbe Ritterpilz ist nicht selten im Sommer und Herbst in Laub= und gemischten Wäldern zu finden.

Wegen seines widerlichen Geruches ist der Pilz ungenießbar.

Der Grünling (T. equestre) ist ihm sehr ähnlich. Hut olivbraun oder grüngelb, klebrig, meist mit Erde bedeckt, schwach glänzend. Fleisch weiß oder weißgelb. Lamellen greller gelb, dichter. Der Stiel steckt etwa zur Hälfte in der Erde. Geruchlos.

Schwefelgelber Ritterpilz, Tricholoma sulfureum. Ungenießbar.

Geſchmückter Gürtelfuß.

Telamónia armilláta Fr. (Cortinárius armillátus.)

Der ſchöne, recht anſehnliche Pilz hat einen 5—15 cm breiten, ziemlich fleiſchigen, ziegelrot=braunen, fuchsroten oder braunen Hut, der zunächſt faſt kahl und glatt, nach völliger Ausbildung aber fädig und ſchuppig iſt. Er iſt zuerſt glockig gewölbt, breitet ſich dann aus und bleibt gewöhnlich gebuckelt. Der dünne Rand iſt bei jugendlichen Hüten eingebogen und mit dem Stiele durch einen weißlichen, am Rande zinnoberfarbenen, zartfädigen, doppelten, flüchtigen Schleier verbunden.

Das Fleiſch des Hutes und Stieles iſt weißgelb oder ſchwach rötlich und in der Hutmitte 1—1¹/₂ cm dick.

Die weitläufig ſtehenden Blätter erreichen eine Breite von 1 cm, ſind an= gewachſen oder angeheftet, ausgerandet, anfangs blaßbraun, dann zimtfarben und dunkelbraun. Die Schneide iſt oft etwas wellig. Die Sporen ſind zimt= braun.

Der volle, ſchlanke Stiel wird 7—15, an ſehr günſtigen Standorten bis 20 cm hoch und 1—2 cm dick. Er iſt faſrig, ockerfarben, rötlich=lila, graubraun, rotbraun und in oder unter der Mitte mit 1—4 lebhaft zinnoberroten oder rotgelben, faſerigen Gürteln geſchmückt, die meiſt ſchräg verlaufen und durch Zerreißung des Schleiers entſtanden ſind. Am Grunde iſt der Stiel knollig verdickt und erreicht hier eine Dicke von 2—4 cm.

Der Geruch iſt unbedeutend, der Geſchmack mild, doch wenig angenehm.

Der geſchmückte Gürtelfuß iſt vom Juli bis Oktober häufig in Nadel= und gemiſchten Wäldern der Ebene und des Gebirges, ſowie in Gebüſchen und feuchten Kieſernheiden zu finden.

Er iſt ungenießbar und oft von Larven durchbohrt.

Geschmückter Gürtelfuß, Telamonia armillata. Ungenießbar.

Zimtpilz.

Zimt=Hautkopf.

Dermócybe cinnamómea L. (Cortinarius cinnamómeus).

Der dünnfleischige Hut ist zimtbraun, braungelb, braunrot oder gelb und erreicht eine Breite von 3—8 cm. Seine Oberfläche ist durch Seidenhärchen schimmernd oder zart schuppig. Anfänglich ist der Hut gewölbt, verflacht später, behält aber meist einen Höcker.

Das Fleisch ist zitronengelb und nur 3—5 mm dick.

Die angewachsenen, ausgerandeten, dichtstehenden Blätter sind glänzend lehmgelb oder rostgelb (bei einer Abart rotbraun oder blutrot) gefärbt, werden aber im Alter leuchtend zimtbraun und bieten einen hübschen Anblick. Jung ist der Hut unten durch einen zarten, seidenfädigen, zitronengelben Schleier verschlossen. Die Sporen sind zimtfarben.

Der gelbe, schlanke, unten oft rotbraune Stiel ist voll, später hohl, grobfasrig und wird 4—8, an schattigem Standorte oder zw schen hohen Pflanzen aber bis 12 cm lang und ¹/₂ cm dick. Das Myzel ist gelb.

Geruch und Geschmack sind unbedeutend.

Der Zimtpilz ist vom Juli bis November in Wäldern und auf Grasheiden sehr häufig zu finden.

Er ist ungenießbar.

Ähnlich: Der blutrote Hautkopf (D. sanguinea Wulf.). Kleiner. Hut, Blätter, Schleier und Stiel blutrot. Stiel mit rotem Saft. Blätter später zimtbraun. Ungenießbar. — Auch andre Hautkopf=(Dermocybe=)Arten zeigen große Ähnlichkeit.

Zimtpilz, Dermocybe cinnamomea. Ungenießbar.

Theater & Musik in Leipzig

Lila Dickfuß.

Inolóma tráganum Fr. (Cortinárius tráganus.)

Der lila Dickfuß ist eine prächtige Zierde des Nadelwaldes. Sein ziemlich dick=
fleischiger Hut kommt lila, feinfasrig und seidenartig glänzend aus der Erde;
im Alter dagegen verfärbt er sich von der Mitte aus, wird kahl, zimtfarben
oder rostbraun, oft brüchig und klaffend rissig. Anfangs sitzt der Hut wie ein
kleines Köpfchen auf dem viel dickeren, knolligen Stiele; später wird er halb=
kuglig, verflacht sich schließlich und erreicht eine Breite von 5—13 cm. Seine
Unterseite ist durch einen zartfädigen lila, innen aber braunen Schleier ver=
schlossen, der bei weiterer Entwicklung reißt und am Hutrande oder Stiele
noch eine Zeitlang in Fetzen sichtbar bleibt.

Das derbe Fleisch ist blaß braungelb oder safrangelb.

Die ziemlich dicken Lamellen stehen weitläufig, sind ausgerandet, fein ge=
kerbt und geben mit ihrer zimtbraunen oder rostgelben, im Alter oliv=
braunen Farbe einen wirksamen Gegensatz zu dem zarten Lila des Hutes und
Stieles. Sie werden 1—1½ cm breit. Das Sporenpulver ist zimtfarben.

Der volle Stiel ist dick=knollig, schwammig=fleischig, innen rostgelb, außen
blaßlila und meist mit zerstreuten, braunen oder lila Fasern und Schüppchen
besetzt. Er wird 5—10 cm hoch, oben 2—3, unten an der Knolle jedoch
3—5 cm dick.

Der Geruch ist eigenartig, etwas süßlich oder unmerklich, der Geschmack un=
bedeutend.

Der lila Dickfuß gedeiht vom Juli bis Oktober in Nadelwäldern, besonders im
Gebirge, ist aber nicht überall häufig.

Er ist nicht genießbar. Der ganze Pilz ist oft von Larven durchwühlt.
Ältere Exemplare, bei denen das zarte Lila sich in schmutziges Rostbraun um=
gewandelt hat, werden recht häßlich und zeigen von ihrer schnell vergangenen
Jugendschönheit kaum eine Spur.

Der lila Dickfuß hat Ähnlichkeit mit dem blauen Ritterpilz (Tricholoma bicolor).
Hut ohne Schleier, Rand anfangs eingerollt, Fleisch blau. Blätter blauviolett, Sporen
weißlich. Stiel hellblau, walzig, unten nur wenig verdickt. — Auch mehrere andre Dick=
fuß=Arten sehen dem lila Dickfuß ähnlich.

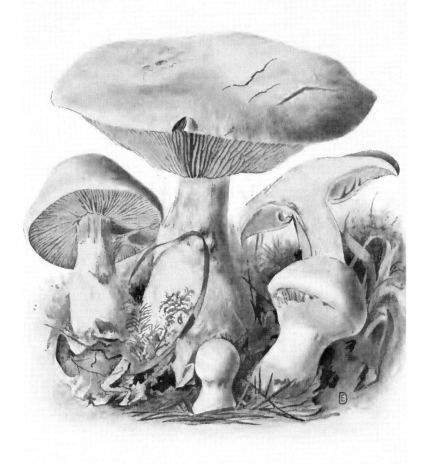

Lila Dickfuß, Inoloma traganum. Ungenießbar.

Büſchliger Schwefelkopf.

Hypholóma fasciculáre Huds.

Der Pilz verſchönt beſonders alte Baumſtümpfe, die er in dichten Raſen bekleidet. Der 3—6 cm breite, dünnfleiſchige Hut iſt ſchwefelgelb mit dunk= lerer, meiſt rötlicher oder bräunlicher Mitte, mitunter auch gelbbraun. Anfäng= lich iſt er glockig, ſpäter flach oder gebuckelt. Die Oberfläche erſcheint glatt und glanzlos. Die Unterſeite wird in der Jugend durch einen gelben, dünnfaſrigen, flüchtigen Schleier geſchloſſen, der ſich allmählich dunkler verfärbt und bald verſchwindet.

Das dünne Fleiſch iſt lebhaft ſchwefelgelb.

Die dichtſtehenden, angewachſenen Blätter ſind erſt ſchwefelgelb, dann grün und im Alter durch die ſchwarz= oder graupurpurnen Sporen dunkel. Auch die tiefer ſtehenden Hüte ſind oft ſchwärzlich beſtäubt.

Der hohle, glatte, etwas faſrige Stiel iſt ſchwefelgelb, ſeidig ſchimmernd, etwas roſtgelb faſrig, oft verbogen und am Grunde ſchwach filzig. Er wird 5—10, ſelten bis 15 cm lang, ¹₂ cm dick und trägt nur undeutliche oder gar keine Spuren des Schleiers.

Der büſchlige Schwefelkopf riecht etwas modrig, widerlich und ſchmeckt ſehr bitter.

Er iſt einer der gemeinſten Pilze an Baumſtöcken, morſchen Baumwurzeln, auch von Obſtbäumen, an faulendem Holzwerk und auf Walderde; in dieſem Falle wächſt das Myzel jedoch meiſt an unterirdiſch liegendem Holz. Auch als Baum= paraſit tritt dieſer Pilz auf. Er gedeiht vom Mai bis zum November, wächſt faſt ſtets in dichten Büſcheln zu 10—100 Exemplaren und dringt bis ins Hochgebirge vor.

Der büſchlige Schwefelkopf iſt ungenießbar, widerwärtig bitter. Früher hielt man ihn für giftig, doch ſind Vergiftungsfälle durch ihn noch nicht nach= gewieſen.

Ähnlich: Der Stockpilz (Pholiota mutabilis), der zuweilen mit dem Schwefelkopf ge= meinſam wächſt. Hut braun, am Rande meiſt mit dunkler, durchfeuchteter Zone. Blättchen roſtbraun. Stiel braun, unten ſchwarzbraun und feinſchuppig, mit deutlichem brau= nem Ring. Geſchmack und Geruch angenehm. — Rotgelber Schwefelkopf (H. la- teritium Schäff.). Hut dicker fleiſchig, rotgelb, mit hellerem Rande, 5—10 cm breit, in der Jugend am Rande die Reſte des weißgelben Schleiers tragend. Blätter erſt weißlich, dann graugelb und olivbraun. Stiel voll, dicker (bis 1 cm), braun= oder blaßgelb, unten braun. Schmeckt faſt mild. Häufig in Büſcheln an Baumſtümpfen. Genießbar, ſehr gering= wertig. — Auch andre Schwefelkopfarten und der Winterpilz (Collybia velutipes) könnten mit dem büſchligen Schwefelkopf verwechſelt werden. So bitter wie der letztere ſchmeckt jedoch keine andere Schwefelkopfart.

Büschliger Schwefelkopf, Hypholoma fasciculare. Ungenießbar.

Grünfpanpilz.

Grünfpan=Träufchling.
Strophária virídula Schäff. (S. aeruginósa Curt., Psalliota vir.)

Der dünnfleifchige Hut des hübfchen Pilzes ift jung und bei feuchtem Wetter mit blaugrünem oder grünfpanfarbigem, dickem Schleim bedeckt und am Rande weißflockig. Im Alter verfchwindet der Schleim; der Hut wird dann gelblich oder bräunlich, etwas glänzend, glatt oder zerftreut fchuppig. Er ift anfangs glockig oder kegelförmig, fpäter flach, bisweilen auch vertieft und am Rande riffig; feine Breite beträgt 5—11 cm. Der Rand des jungen Hutes ift zunächft durch einen häutigen Schleier mit dem Stiele verbunden. Die zähe Oberhaut läßt fich leicht abziehen.

Die graulila oder purpurbraunen, fpäter dunkelbraunen, weichen Lamellen find dem Stiele angewachfen. Die Sporen find graulila.

Der etwas hohle, blau= oder graugrüne Stiel ift in der Jugend fchleimig, wird 5—7, an fchattigen Standorten bis 10 cm hoch, ¹/₂—1 cm dick und trägt einen abftehenden, fchuppighäutigen Ring. Unterhalb von diefem ift er mit weißlichen Schuppen und Flocken geziert, oben kahl.

Der Grünfpanpilz wächft gefellig in Wäldern, Gebüfchen, Gärten, an Baumftümpfen, auf Brachäckern und an Düngerhaufen. Man findet ihn ziemlich häufig vom Auguft bis zum Eintritt des Winters.

Ungenießbar.

Mehlpilz.

Pflaumenpilz. Pflaumen=Räßling. Moosling. Großer Mufferon.
Clitópilus prúnulus Scop. (Rhodósporus pr., Hyporhódius pr.)

Der Mehlpilz hat einen 5—8, felten auch bis 11 cm breiten, weißen, weißgrauen oder weißgelblichen Hut. Diefer ift mehr oder weniger dickfleifchig¹), glatt und bei feuchtem Wetter etwas fettig oder klebrig. Jung ift er flach gewölbt, mit umgerolltem Rande, fpäter vertieft und verbogen oder wellig gefchweift. Das weiße Fleifch läßt fich in Längsfafern zerreißen.

Die fchmalen, 3—4 mm breiten, herablaufenden Blätter find zuerft weiß, dann werden fie durch die rötlichen Sporen fleifchrot.

Der nur 3—6 cm lange, etwa 1 cm dicke Stiel ift nicht felten etwas exzentrifch geftellt. Er ift dem Hute gleich gefärbt, glatt, voll, oft bauchig, unten meift weißfilzig und verbreitert fich allmählich in den Hut, wodurch er — wie auch die Hutform — an den Pfifferling erinnert.

Der Mehlpilz riecht ftark nach Mehl, doch mit feifenartigem Beigeruch, und fchmeckt füßlich, auch wohl etwas widerlich.

Man findet ihn ziemlich häufig in Wäldern, auf Grasplätzen, Triften, in Gebüfchen, vom Juni, felten fchon vom Mai an, bis zum Oktober. Er wächft gefellig, zuweilen in Ringen von 1—6 m Durchmeffer.

Ein guter Speifepilz mit eigenem, angenehmem Gefchmack; er läßt fich leicht trocknen. In manchen Gegenden kommt der Mehlpilz auf den Markt. Er ift nur felten madig.

¹) Die dünnfleifchige Form — die unfre Abbildung darftellt — wurde in älteren Pilzwerken als befondre Art (Rötlicher Mehlpilz, Cl. orcélla Quél.) befchrieben, wird aber neuerdings mit der dicker fleifchigen, mehr weißgrauen Form vereinigt. Letztere ift als Speifepilz wertvoller.

Grünspanpilz, Stropharia viridula. Ungenießbar.

Mehlpilz, Clitopilus prunulus. Eßbar.

Feld=Champignon.

Feld=Egerling, ö. h. =Äcferling. Brachschwamm. Weidling. Ehegürtel.
Psallióta campéstris L. (Agáricus camp.)

Der allgemein beliebte Pilz wird keinesnwegs in allen Dolksfreisen mit
Sicherheit erkannt. Man verwechselt ihn mit anderen weißen Pilzen, seltner
jedoch mit den giftigen Knollenblätterpilzen, die seinen Standort nicht teilen.
Er bricht als weißes Knöllchen, das nur undeutlich Stiel und Hut erkennen
läßt, und mit einer weißen, derben Hüllhaut umschlossen ist, aus dem
Boden hervor. Bei weiterer Entwicklung sondert sich der Hut, der allmählich
platt=kuglig, dann halbkuglig wird, deutlich vom Stiele ab. Die Hüllhaut, die die
jungen Blättchen schützte, wird so straff gespannt, daß sie endlich am Hutrande
platzt. Ihre Überreste bleiben am Stiele als Ring und am Hutrande als
Setzen lange sichtbar (vgl. die Abb. Bd. II., S. 53). Der Hut breitet sich nun
flach gewölbt aus, wird 6—12, ja selbst bis 25 cm breit, und sein zuerst ein=
gebogener Rand wird gerade. Die leicht abziehbare, ziemlich dicke Oberhaut ist
weiß, weißgelblich oder bräunlich, beim Zucht=Champignon braunrot. Sie fühlt
sich trocken an, ist oft feinschuppig, flockig oder glatt und etwas seidenglänzend.

Das zarte, weiche, 1—3 cm dicke Fleisch ist weiß, erscheint aber im Alter
meist rötlich durchzogen.

Die Blätter berühren den Stiel nicht, stehen ziemlich dicht und sind etwas
bauchig. Bei geschlossenem Hut sind sie blaßrosa, dann rosa oder fleischfarben
und zuletzt durch die reifenden Sporen schwarzbraun oder schwarz und feucht
(vgl. das Sporenbild in Bd. II, S. 57).

Der weiße Stiel ist voll und glatt, nach unten schwach verdickt und wird 4—8,
zuweilen bis 12 cm hoch und 1—3 cm dick. Er trägt einen derbhäutigen, ab=
stehenden, dauerhaften, weißen, oft zerschlitzten Ring.

Der Geruch ist zart mandel= oder nußähnlich. Junge Pilze sind roh recht
wohlschmeckend und entwickeln beim Kauen einen feinen Duft.

Der Feld=Champignon wächst vom Juni bis Oktober meist häufig und gesellig,
besonders an Orten, an denen Pferdedünger vermodert: auf Dieweiden, Feldern,
gedüngten Wiesen, nach der Grumternte, auf Triften, an Wegrändern, in
Gärten und Mistbeeten. In manchen Jahren erscheint er seltener oder gar nicht,
in andern massenhaft. Zuweilen findet er sich in dunkeln Kellern ein, in denen
er dann aus Mauerritzen in oft riesigen Exemplaren hervorbricht. Auch in
völlig lichtlosen Räumen bildet der Feld=Champignon eigentümlicherweise
normale Fruchtkörper und Sporen aus; daher kann er in Kellern und Grüften
leicht gezüchtet werden (vgl. Bd. II, S. 86). Er ist sehr veränderlich.

Er gehört zu den vorzüglichsten Speisepilzen, ist ein geschätzter Markt=
pilz und wichtiger Handelsartikel. Er läßt sich vielfach verwerten. Die Ober=
haut ist vor der Verwendung abzuziehen; bei älteren Pilzen sind auch die
Blätter, falls sie ins Braune übergehen, zu entfernen und die Stiele abzu=
schälen. Alte Champignons sind unschmackhaft. Leider wird dieser wertvolle
Pilz stark von Insekten heimgesucht.

Ähnlich: Der gelbliche Knollenblätterpilz, s. die vergleichende Übersicht in Bd. II,
S. 72. — Der Schaf=Champignon (Ps. arvensis). Hut weiß, durch Druck gelblich
werdend, dünnfleischiger. Blätter anfangs weißlich. Stiel hohl, gewöhnlich höher, mit am
Rande zweischichtigem Ring. In Wäldern.

Feld=Champignon, Psalliota campestris. Eßbar.

Quelle & Meyer in Leipzig

Schaf=Champignon. [1]

Psallióta arvénsis Schäff.   (Agáricus arv.)

Gerade dieser Pilz gibt durch seine Ähnlichkeit mit dem gelblichen und mit dem Frühlings=Knollenblätterpilz (Amanita mappa und verna) oft Anlaß zu verhängnisvollen Verwechslungen. Solche treten um so leichter ein, da der Schaf=Champignon häufig in Gesellschaft der Knollenblätterpilze vorkommt und ihnen besonders in jugendlichem Zustande auffällig gleicht (s. die vergleichende Übersicht in Bd. II, S. 72). Die Wichtigkeit dieses Umstandes konnte von der Pilzliteratur bisher nicht genügend gewürdigt werden, da eine genaue Fest= stellung der Diagnose des Schaf=Champignons erst in neuerer Zeit gelungen ist, und da allgemein angenommen wurde, dieser Pilz sei auf Brachäckern und Wiesen heimisch.

Der Schaf=Champignon hat einen wenig fleischigen, weißen oder weißgelblichen, meist seidig glänzenden, bei Druck, Berührung und im Alter gelblichen Hut, der eine Breite von 6—12, zuweilen auch bis 20 cm erreicht. Er ist jung glockig, nicht selten faustgroß und durch eine weiße, ziemlich derbe Hüllhaut geschlossen; später breitet er sich flach aus, wobei seine Oberhaut oft feinschuppig wird.

Das zarte Fleisch ist weiß.

Die Blätter stehen sehr dicht, frei, sind zuerst weißlich, dann graurötlich, fleisch= farben oder rosa und schließlich braunschwarz. Die Sporen sind purpur= oder violettbraun.

Der schlanke, weiße Stiel glänzt meist seidig, ist am Grunde etwas knollig oder abgestutzt=gerandet und wird 7—13, ja selbst bis 16 cm hoch, also weit höher als beim Feld=Champignon, und 1—3 cm dick. Er ist hohl und trägt den breit= häutigen, meist mit der Stielspitze verbundenen, derben, dauerhaften Ring, der in der Jugend am Rande zweischichtig ist. Im Alter schwärzt sich der Stiel oft von der Spitze aus.

Der durchbrochene Pilz hat einen vorzüglichen mandel= oder anisartigen Duft und schmeckt roh recht gut.

Er gedeiht vom Juni bis Oktober häufig und gesellig in Nadel= und Laub= wäldern, namentlich auf lockerem Humus, sehr selten auf Feldern oder Äckern, die in der Nähe des Waldes liegen.

Der Schaf=Champignon ist jung, besonders geschlossen, einer der besten Speisepilze. Er wird von dem wegen seines dickeren Fleisches noch wert= volleren Feld=Champignon im Handel meist gar nicht unterschieden.

Ähnlich: Der Feld=Champignon (Ps. campestris). Hut dicker fleischig, Fleisch schließ= lich rötlich getönt. Blätter sehr bald rosa, intensiver gefärbt. Stiel voll, meist niedriger, mit abstehendem, einschichtigem Ring. Nicht in Wäldern. — Der Wald=Champignon (Ps. silvatica Schäff.). Hut nur 6—9 cm breit, braun, schuppig, dünnfleischig. Fleisch beim Durchbrechen alsbald rot anlaufend. Blätter jung rötlich. Stiel bald hohl, Ring unterseits braun, einfach. In Wäldern, Parkanlagen, nicht selten. Minderwertiger.

[1] In der Auffassung dieser Art schloß ich mich hauptsächlich an das treffliche Werk von A. Ricken, Die Blätterpilze (vgl. Bd. II, S. 105), an, das in der Diagnose des Schaf= Champignons nicht unwesentlich von älteren Autoren abweicht.

Schaf=Champignon, Psalliota arvensis. Eßbar.

Stockpilz.

Stockschwämmchen. Stubbling.
Pholióta mutábilis Schäff.

Der Stockpilz ist zwar meist ziemlich klein und unscheinbar, aber wegen seines Wohlgeschmacks und häufigen Vorkommens ein wichtiger Speisepilz. Sein 3—8, bei sehr üppigen Exemplaren bis 12 cm breiter, dünnfleischiger Hut ist ocker= gelb oder braungelb, feucht zimtbraun oder lederbraun, wird trocken blasser und hat gewöhnlich eine durchfeuchtete, dunkle Randzone (ein Merkmal, das indes auch beim Waldfreund, Suppenpilz u. a. wiederkehrt), die beim Trocknen schwindet. Der Hut ist zuerst gewölbt, dann flach ausgebreitet; die Mitte vertieft sich oft, behält aber meist einen stumpfen Buckel und ist häufig dunkler als der Rand, zuweilen sogar rotbraun. Die Oberfläche ist kahl, glatt und trocken und fühlt sich bei feuchtem Wetter etwas fettig an.

Das Fleisch sieht bräunlich=weiß aus.

Die dicht gestellten Blätter sind anfänglich hell=, später rostbraun, ziemlich breit und ungleich lang. Die meisten sind an den Stiel gewachsen, die längsten laufen an ihm herab. Tiefer stehende Hüte sind bei büschlig wachsenden Stockpilzen durch die rostbraunen Sporen bestäubt. Die Unterseite junger Hüte ist durch eine bräunlich=weiße, dünne Haut verdeckt, die den Hutrand mit dem Stiele verbindet, und deren Überreste als Ring am Stiele zurückbleiben.

Der Stiel wird 5—7, selten bis 10 cm hoch, ½—1 (bis 1½) cm dick; er ist ziemlich zäh, oben zimt=, unten schwarzbraun, erscheint oft gekrümmt, wird schließlich hohl und weist über der Mitte den bräunlichen Ring auf, der mitunter auch gänzlich verschwindet. Über ihm ist der Stiel kahl und oft etwas gerieft, darunter aber dicht mit kleinen, braunen Schuppen und Flöckchen besetzt. Der Stiel ist ziemlich zäh, oft gekrümmt und wird bald hohl.

Das Stockschwämmchen duftet würzig und schmeckt mild.

Der vortreffliche Speisepilz wächst sehr häufig vom Mai bis November büschel= oder rasenartig an modernden Stöcken von Laubhölzern, seltener auf der Erde, in der Nähe der Baumstümpfe. Zuweilen findet er sich auch an feucht lagernden, geschlagenen Stämmen oder als Parasit an lebenden Bäumen. Er kommt auch im Gebirge häufig vor.

Der Stockpilz ist recht schmackhaft und gehört zu unsern besten Speise= schwämmen, ist auch an vielen Orten ein beliebter Marktpilz. Er eignet sich ebensowohl zum Braten, wie zum Würzen von Suppen, zum Einmachen, Trocknen und zur Herstellung von Pilzwürze. Von den Stielen ist nur das obere Ende zu verwenden. Über seine Züchtung s. Bd. II, S. 85.

Ähnlich: Der büschlige Schwefelkopf (Hypholoma fasciculare), der mitunter in der Gesellschaft des Stockpilzes vorkommt. Hut schwefelgelb, ohne dunkle, durchfeuchtete Rand= zone. Blätter gelb, dann grün, Stiel gelb (auch unten), ohne Schuppen, mit undeutlichem Schleierring. Geschmack bitter. — Auch mehrere andere ungenießbare Schwefelkopf=Arten sind dem Stockpilz recht ähnlich. Man achte auf den braunen, schuppigen, flockigen Stiel und den Ring des Stockpilzes, sowie auf seinen würzigen Geruch! — Geringe Ähnlichkeit hat der Hallimasch, dessen Sporenstaub weiß ist.

Stockpilz, Pholiota mutabilis. Eßbar.

Quelle & Meyer in Leipzig

Sparriger Schuppenpilz.

Pholióta squarrósa Müll.

Der stattliche Pilz ist eine prächtige Zierde alter Baumstümpfe. Sein flei=
schiger Hut wird 6—12, mitunter auch wohl bis 16 cm breit, ist trocken, strohgelb
bis rostbraun und dicht mit dunkleren, sparrig abstehenden oder zurückgerollten
Schuppen besetzt, die nicht selten bis über den Hutrand hinausreichen, sich indes
im Alter allmählich verlieren. Der junge Hut ist kegelförmig oder halbkuglig,
und seine Unterseite erscheint durch eine schuppige Hüllhaut verschlossen; bei
weiterem Wachstum wölbt er sich flach, bleibt aber oft in der Mitte gebuckelt.
Das gelbliche Fleisch ist derb.

Die dichtstehenden Blätter sind 5—7 mm breit, angewachsen, etwas herab=
laufend, auch wohl ausgerandet, blaß gelbgrün, dann rost= oder umbrabraun.

Der volle, trockne, zähe Stiel ist über dem zerschlitzten, lappigen Ringe glatt
und gelb, unter ihm sparrig abstehend schuppig und dem Hute gleich gefärbt,
doch am Grunde häufig dunkler. Er wird bei einer Länge von 8—12 cm
1 bis 2½ cm dick und ist, da der Pilz meist büschlig wächst, oft verbogen.

Der Geruch ist stark würzig, fast rettichartig, oder auch etwas modrig=holzig,
der Geschmack ziemlich mild.

Der sparrige Schuppenpilz bricht häufig büschel= oder haufenweise an Baum=
stöcken und am Grunde abgestorbener oder lebender Laub= und Nadelhölzer
hervor. Er ist ein schädlicher Schmarotzer, erzeugt Weißfäule und bevorzugt
besonders Apfelbäume und Ebereschen. Man findet ihn vom August bis zum
November; er ist — seinen verschiedenen Wirten entsprechend — sehr
veränderlich.

Der Pilz ist kaum genießbar, da er recht zäh ist.

Er ist dem Hallimasch entfernt ähnlich.

Sparriger Schuppenpilz, Pholiota squarrosa. Kaum genießbar.

Fahlm & 〜〜〜〜〜〜〜〜

Reifpil3.

Scheiden=Run3ling. 3igeunerpil3.
Rozítes caperáta Pers. (Pholióta cap.)

Der 6—12 cm breite, nicht besonders fleischige Hut ist graugelb, strohfarben, röt=
lichgelb oder ockerfarben, schimmert anfangs etwas graulila und ist in der Mitte
mit fest anhaftendem, mehligem Reif bedeckt, woran man den sonst etwas
schwer bestimmbaren Pil3 am leichtesten erkennt. Jung ist der Hut eiförmig oder
halbkuglig, breitet sich dann aus, ist matt oder schwach glän3end, trocken, mitunter
grubig gefurcht und im Alter am Rande nicht selten aufwärts gebogen, kraus=
wellig oder run3lig. Der junge Pil3 ist, wie die Wulstling=(Amanita-) Arten,
von einer äußeren, 3arten, vergänglichen Hülle oder Scheide umschlossen, deren
Reste als weißliche Flocken eine 3eitlang auf dem Hute sichtbar bleiben, bald aber
durch Witterungseinflüsse verschwinden.

Das weißliche, weiche, oft wässerig durch3ogene Fleisch ist unter der Huthaut
gelbrötlich getönt.

Die dichtstehenden Blätter sind 1—2 cm breit, anfangs angewachsen, weißgrau
oder blaß lehmfarben; später stehen sie frei oder sind ausgerandet, werden durch
die ausfallenden Sporen rostbraun und 3ulet3t queradrig. Ihre fein ge3ähnelte
Schneide ist heller gefärbt.

Der volle, derbe, weißliche Stiel ist feinfasrig, besonders im oberen Teile,
etwas streifig und glän3end, schimmert schwach lila und wird 6—12, bei üppigen
Exemplaren bis 16 cm hoch und 1½—3 cm dick. Er ist mit einem erst ab=
stehenden, dann herabhängenden, weißgelben, häutigen Ring versehen, dem Rest
der inneren Hülle, die die Unterseite des jungen Hutes schleierartig bedeckte.
Am Grunde des Stieles befinden sich die undeutlichen Spuren der äußeren
Hüllhaut.

Der Pil3 riecht und schmeckt angenehm.

Man findet ihn vom August bis Oktober nicht selten in Wäldern und Wald=
heiden, besonders in Nadelhol3beständen und im Gebirge. Er wächst meist ge=
sellig; 3uweilen bildet er Ringe.

Der Reifpil3 ist ein vor3üglicher, 3artfleischiger Speisepil3, der leider
als solcher fast überall unbekannt ist. Nur jüngere Pil3e sind jedoch schmackhaft.

Er ist einigen nicht genießbaren Schleimkopf=(Phlegmacium-)Arten ähnlich; diese
haben aber keine äußere Hülle; ihr Hut ist jung schleimig, nicht mehlartig bereift, der
Schleier flüchtig und dünnfädig, der Ring daher wenig sichtbar. — Verwandt, doch
weniger ähnlich, etwas an den Champignon erinnernd: Frühlings=Schuppenpil3
(Pholiota cándicans Schäff., Ph. praécox Pers.). Hut weißlich, mit braungelber Mitte,
wenig fleischig, glatt, bis 6 cm breit. Blätter angeheftet, 3iemlich dicht, weißlich, dann
braun, Schneide weiß. Stiel weiß, kahl, später hohl, 5 bis 8 cm hoch, mit weißem Ring.
Sporen braun. Im Frühjahr und Sommer nicht selten auf Grasplät3en. Eßbar.

Reifpilz, Rozites caperata. Eßbar.

Quelle & Meyer in Leipzig

Großer Schirmpilz.

Parasolpilz.

Lepióta procéra Scop.

Der große Schirmpilz ist einer unserer stattlichsten Pilze, dem an Größe und Schönheit des Baues kaum ein anderer gleichkommt. Der junge Pilz, dessen Hut noch geschlossen ist, sieht einem Paukenschlegel ähnlich. Sein grau= brauner oder bräunlich=weißer Hut hat jetzt die Form und Größe eines Hühner= eies, wird aber mitunter auch faustgroß. Er ist mit braunen, quer verlaufenden Flecken und Schuppen bedeckt und am Rande mit einem derben Ringe, der den Stiel fest umschließt, verwachsen. Bei weiterem Wachstum löst sich der Hut vom Ringe los, wird glockenförmig, schließlich schirmähnlich und erreicht eine Breite von 10—20, ja zuweilen von 30 cm. Die dünne, trockne Oberhaut reißt hierbei in zahlreiche, braune, zerstreut oder auch dachziegelartig liegende, fasrige Schuppen auf, die etwas abstehen und oft das weiße Hutfleisch sichtbar werden lassen. In der Mitte des Hutes gehen sie in einen festen, braunen Buckel über.

Das lockere, weiche, ziemlich trockne Fleisch bleibt beim Durchbrechen un= veränderlich weiß, ist sehr zart, wird aber im Alter dürr und zäh.

Die weißen, weichen Blätter stehen frei und sind vom Stiele durch eine ring= artige Wulst völlig getrennt. Sie werden 1—1½ cm breit, sind bauchig und stehen sehr dicht. Die Sporen sind weiß.

Der sehr schlanke, röhrige Stiel ist durch zähe Gewebestränge versteift, ver= mag also die Last des schweren Hutes wohl zu tragen. Er ist am Grunde knollig verdickt und trägt über der Mitte den lederartigen, dehn= und ver= schiebbaren Ring. Der Stiel ist durch angedrückte, große, braune Schuppen gefleckt und dadurch rauh; er wird spannenlang, in einzelnen Fällen aber über 30 cm hoch und 1½ bis 2½, unten bis 3½ cm dick. Die Knolle übertrifft bei ganz jungen, fingerhohen Exemplaren an Umfang sogar den noch geschlossenen Hut: sie wird 5—6 cm dick.

Der junge Parasolpilz duftet und schmeckt sehr angenehm gewürzig, an Hasel= nüsse erinnernd, und ist roh sehr wohl eßbar.

Er wächst vom Juli, selten schon vom Juni ab, bis zum Oktober oder November häufig in lichten Wäldern, auf Heiden, Waldwiesen, Triften, in Gebüschen.

Der große Schirmpilz ist jung, namentlich wenn er noch geschlossen ist, einer der vorzüglichsten Speisepilze; doch ist die untere Stielhälfte hart und unbrauchbar. Ältere Pilze werden zäh und geschmacklos, sind auch oft madig.

Ähnlich: Der Safran=Schirmpilz (L. rhacodes). Kleiner, Stiel glatt, nicht braun= ledig. Fleisch bei Verletzung safranrot.

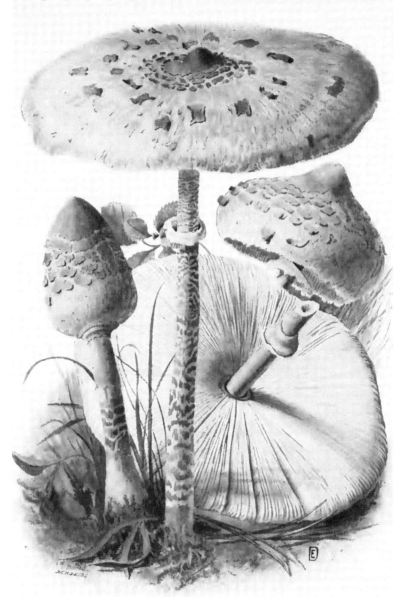

Großer Schirmpilz, Lepiota procera. Eßbar.

Safran=Schirmpilz.

Lepióta rhacódes Vitt.

Er ist dem großen Schirmpilz, mit dem er oft verwechselt wird, ähnlich, steht ihm aber an Größe etwas nach. Der junge Pilz, dessen geschlossener Hut kuglig oder eiförmig ist, gleicht einem Paukenschlegel. Die breiten, fasrigen Haut= schuppen sind, abstehend, locker und graubraun und beginnen sich schon beim geschlossenen Hut loszulösen. Am Scheitel bleibt ein festfleischiger, brauner oder graubrauner Buckel stehen. Der Hut wird spannenbreit (10—20 cm).

Das schwammig=weiche, weiße Hut= und Stielfleisch wird beim Zerbrechen oder Durchschneiden nach kurzer Zeit safran= oder rosenrot,[1]) eine Er= scheinung, die in geringerem Grade auch die Blätter zeigen.

Die weißen, dichtstehenden, bauchigen Lamellen stehen frei, sind vom Stiele durch eine ringartige Wulst abgesondert und etwa 1—2 cm breit.

Der zähe, röhrige Stiel ist am Grunde dickknollig, noch dicker als beim großen Schirmpilz, weißfilzig und trägt einen derben, fasrig=zerschlitzten, verschieb= baren Ring. Er wird 8—15 cm hoch, ist ungefleckt, glatt, schmutzig=weißlich oder graubraun.

Der Safran=Schirmpilz riecht und schmeckt angenehm, doch nicht so nußähnlich wie der große Schirmpilz.

Er kommt vom Juli bis Oktober in Nadel= und gemischten Wäldern auf lockerem Boden vor, ist aber meist seltner als sein größerer Doppelgänger. Im Osten dagegen nimmt er an Häufigkeit zu.

Der Safran=Schirmpilz ist, jung verwendet, ein wohlschmeckender Speise= pilz. Der Stiel ist jedoch zäh und wird besser fortgelassen.

Beim großen Schirmpilz (L. procera) sind die großen Hutschuppen dunkler braun. Der Stiel hat breite, braune Flecke. Fleisch beim Durchbrechen unveränderlich weiß, stärker nußartig duftend.

---

[1]) Diese auffällige Eigenschaft ist in den bekannten Pilzwerken von W. Migula und G. Lindau nicht erwähnt, wird hier aber irrtümlicher Weise dem großen Schirmpilz zu= geschrieben.

Safran=Schirmpilz, Lepiota rhacodes. Eßbar.

Acker-Schirmpilz.

Geschundener Schirmpilz.
Lepióta excoriáta Schäff.

Der ziemlich weichfleischige Hut wird 6—12, auf günstigem Boden bis 15 cm breit, ist weißlich oder bräunlichgelb, in der Mitte dunkler und meist gebuckelt. Jung ist er eiförmig, wird dann glockig und zuletzt flach, aber oft wellig ver= bogen; die dünne Oberhaut zerreißt während der Entwicklung in breite, weiche Schuppen (erscheint „geschunden") oder wird gefeldert, namentlich nach dem Rande hin, der nicht selten bei trocknem Wetter rissig und spaltig wird oder sich aufwärts umbiegt.

Das dünne, zarte Fleisch ist weiß und verändert sich beim Durchbrechen nicht.

Die ¹/₂—1 cm breiten, bauchigen Blätter sind weich, weiß, stehen ziemlich dicht und sind nicht an den Stiel, sondern an eine ringartige Wulst, die das obere Stielende umrandet, angewachsen. Die Sporen sind weiß.

Der weißliche, ungefleckte Stiel ist glatt und kahl, hohl und am Grunde knollig, oft auch wurzelartig verlängert. Wächst der Pilz auf sandigem Boden, so haftet der Sand fest an der Knolle. Der Stiel, der über der Mitte einen weißen, ziemlich derbhäutigen, beweglichen Ring trägt, wird 6—12, bisweilen auch wohl 16 cm hoch und 1—1¹/₂ cm dick.

Geruch und Geschmack sind angenehm süßlich.

Der Acker=Schirmpilz kommt im Herbste, mitunter auch im Sommer oder gar im Frühlinge, nicht selten auf sandigen Stoppeläckern, Brachfeldern, Gras= plätzen, Triften und an Wegen vor und wächst gesellig.

Er ist jung recht wohlschmeckend.

Er hat geringe Ähnlichkeit mit dem giftigen gelblichen Knollenblätterpilz (Amanita mappa).

Acker=Schirmpilz, Lepiota excoriata. Eßbar.

Lindle & Meyer in Leipzig

Hallimaſch.

Armillária méllea Vahl.

Der zähfleiſchige Hut dieſes gefürchteten Baumſchädlings iſt anfänglich honig=
gelb, bräunlich=roſa und geht allmählich ins Gelbbraune, Graubraune und
Braune über. Er iſt beſonders in der Mitte dicht mit honiggelben bis ſchwarz=
braunen Schüppchen und haarigen Faſern bedeckt, die ſich ſchwer abwiſchen
laſſen, aber vom Regen doch nicht ſelten abgewaſchen werden. Die Größe
des Hutes wechſelt nach der Ergiebigkeit der Nahrungszufuhr; die Breite beträgt
4 bis 18 cm. Der Rand iſt bei jungen Hüten eingerollt, ſpäter wird er flach
und geſtreift. Das etwas zähe Fleiſch iſt weiß oder bräunlich=weiß.

Die ziemlich weitläufig ſtehenden Blätter ſind in der Jugend weißlich, werden
ſpäter gelblich, fleiſchfarben, bräunlich und ſchließlich braunfleckig. Sie ſind
dem Stiele angewachſen, die längſten laufen ſtreifenartig an ihm herab. Im
Alter werden ſie durch die Sporen weiß beſtäubt; auch die niedriger ſtehenden
Hüte, ſowie Moos und andre Pflanzen, die in der Nähe ſtehen, ſind oft weiß
gepudert.

Der volle, zähe, elaſtiſche Stiel iſt faſrig=längsſtreifig und, da der Hallimaſch
meiſt büſchlig wächſt, oft verbogen. Er wird 5—12, ſelbſt bis 20 cm hoch, ½—2 oder
auch bis 3 cm dick und iſt graubraun, wandelt ſich aber ins Rötliche, Gelbliche oder
Olivbraune und iſt unten dunkler, bis ſchwarzgrau. Er trägt im oberen Teile
einen weißen, flockighäutigen Ring, den Reſt des Hautſchleiers, der die jungen
Blättchen ſchützte. An der Anſatzſtelle des Ringes iſt der Stiel nicht ſelten geſchwollen.

Der Hallimaſch riecht angenehm und ſchmeckt roh mild, mit herb ſaurem, ab=
ſcheulich zuſammenziehendem Nachgeſchmack.

Er wächſt vom Auguſt oder September an bis zum November ſehr häufig
in dichten Raſen bis zu 100 Exemplaren an Baumſtümpfen, faulenden
Stämmen, feucht lagerndem Holz und unterirdiſch liegenden Wurzeln, ſowie
an lebenden Bäumen oder frei zwiſchen Laub und Gras. Der Hallimaſch be=
fällt ſowohl Nadel=, als auch Laubbäume, namentlich Kirſch= und Pflaumen=
bäume und zuweilen auch Sträucher; er erzeugt den ſog. Erdkrebs oder die
Wurzelfäule. Beſonders in Kiefern= und Fichtenkulturen richtet er ſehr großen
Schaden an, indem er 1—4jährige Bäumchen, in deren Wurzelholz er eindringt,
zum Abſterben bringt. Sein Myzel bildet bei Lichtmangel dicke, wurzelähnliche
Stränge (Rhizomorpha), die außen ſchwärzlich, innen aber weiß ſind. Sie ziehen
ſich zwiſchen Holz und Rinde des befallenen Stammes hin und verzweigen ſich
in fächerartige Äſte, deren Enden ins lebende Holz eindringen, es mürbe machen
und zum Abſterben bringen. In lebenden Bäumen ſteigt das Myzel nicht ſelten
über 6 m hoch empor und erzeugt in dieſer Höhe noch Fruchtkörper. Auch in
Bergwerken zerſtört der Hallimaſch nicht ſelten die Bauhölzer. Das von ihm be=
fallene Holz leuchtet, wenn es feucht iſt, im Dunkeln.

Der garſtige Geſchmack des rohen Pilzes verliert ſich bei der Zubereitung.
Infolgedeſſen iſt der Hallimaſch ein guter und, da er maſſenhaft vorkommt,
ein wichtiger Speiſepilz. Man tut aber gut, nur die Hüte junger Pilze
zu verwenden, da ausgewachſene — hauptſächlich jedoch deren Stiele — zäh
ſind. Der Hallimaſch eignet ſich auch gut zum Einmachen, aber nicht zum Trocknen.
An zahlreichen Orten iſt er ein begehrter Marktpilz. Er kann gezüchtet werden.

Etwas Ähnlichkeit haben: Der Stockpilz und der ſparrige Schuppenpilz.

Hallimasch, Armillaria mellea. Eßbar.

Lucие & Meyer in Leipzig

Scheidenpilz.

Amanitópsis vagináta Bull. (Amaníta plúmbea Schäff.)

Der jugendliche Pilz dringt, völlig von einer weißen Hüllhaut umschlos=
sen, aus der Erde; er steckt gleichsam in einer Eischale. Bei seiner weiteren
Entwicklung platzt die Hülle aber auf und bleibt am Grunde als Scheide
zurück, in die der Fuß des Stieles eingesenkt ist. Der obere Teil der Hülle
bleibt in Fetzen auf dem Hute haften. Da dieser aber nur in der Jugend ,klebrig
ist, werden die Fetzen bald durch Wind und Wetter entführt, so daß er jetzt
völlig kahl erscheint. Der Hut ist sehr dünnfleischig, anfangs glockig, später
flach, gebuckelt und erreicht eine Breite von 5—12, selten bis 15 cm; der Rand
ist stets tief gefurcht, ein Merkzeichen, das diese Art leicht kenntlich macht.
Die Farbe des Hutes ist ungemein verschiedenartig: grau, braun, graubraun,
graurot, orange, gelb oder auch weiß. Man unterscheidet nach diesen Farben
verschiedene Abarten, die meist örtlich gesondert auftreten. Die braune und
rotgelbe Abart wird am größten (Hut bis 15 cm breit, Stiel bis 25 cm hoch); die
weiße dagegen bleibt sehr klein (Hut bis 5 cm breit, Stiel nur 4—6 cm hoch).
Die sehr dünne Oberhaut des Hutes ist glatt, trocken und nicht leicht abziehbar.

Das zarte Fleisch ist weiß.

Die dichtstehenden, weißen Blätter stehen frei, sind etwas bauchig, laufen nicht
selten in kurzen Linien herab und haben einen gleichmäßigen, zierlichen Stiel=
ansatz.

Der Stiel ist sehr schlant, leicht zerbrechlich und weißlich oder dem Hute ähnlich
gefärbt, doch stets heller als dieser. Er trägt keinen Ring, hat also keine
innere Hülle. Die häutige Scheide bleibt gewöhnlich in der Erde stecken, wenn
man den Stiel herauszieht. Der Stiel ist röhrig, glatt, etwas weichflockig oder
flockig=schuppig und wird 6—20, selbst bis 25 cm hoch), aber nur 1—1¹/₂, unten
bis 2 cm dick. Wenige Pilze erreichen diese Höhe bei einer derartigen Schlant=
heit und Zartheit des Stieles. Ein so hohes, schwankendes Gebilde kann sich
lediglich im Walde, bei Windschutz aufrecht erhalten, würde aber auch hier
leicht zusammenbrechen, wenn der Hut des Pilzes nicht verhältnismäßig klein
und dünnfleischig wäre. Auf freieren Standorten ist der Scheidenpilz ge=
drungener.

Er ist geruchlos und schmeckt fade.

Der Scheidenpilz ist sehr häufig vom Juni bis Oktober in Wäldern, Wald=
sümpfen und =brüchen, in Torfmooren, auf Grasheiden und in Gebüschen zu
finden, geht auch bis ins Hochgebirge hinauf.

Er ist ein zartfleischiger, wohlschmeckender Speisepilz.

Scheidenpilz, Amanitopsis vaginata. Eßbar.

Quelle & Meyer in Leipzig

Perlpilz.

Rötlicher Wulstling. Pustel-Wulstling. Golmotte.
Amaníta rubéscens Pers. (A. pustuláta Schäff.)

Die Größe und Farbe des Perlpilzes ist je nach seinem Standorte äußerst schwankend, daher ist er nicht immer leicht zu erkennen. Seine Hutfarbe ist graubraun, graurötlich, braunrötlich, blaßrosa oder fleischrötlich. Die leicht ab= ziehbare Oberhaut ist am Rande glatt (nicht gestrichelt) und meist gleichmäßig mit kleieartigen, spitzen und flachen Warzen und perlartigen Pusteln bedeckt, die weißlich, grauweiß, rötlich oder bräunlich aussehen. Es sind die Überreste der äußeren Hülle, die den jungen Pilz völlig umschloß. Die größeren Warzen und Hautfetzen werden durch Regen und Wind oft abgetragen, zuweilen auch alle, so daß dann die Oberhaut ganz kahl erscheint. In der Jugend ist der Hut, der einen Durchmesser von 6—15 cm erreicht, tuglig geschlossen, wird dann glockenförmig, später flach und oft verbogen. Im Alter bilden sich am Hutrande nicht selten tiefe Längsrisse.

Das weiche, sehr zarte Fleisch ist weiß. Unter der Oberhaut ist es blaßrosa oder fleischrötlich; auch beim Zerbrechen rötet es sich allmählich, besonders das Stielfleisch.

Die dichtstehenden, breiten Lamellen sind anfangs weiß, dann etwas fleisch= rötlich und färben sich bei Verletzung und Druck langsam rötlich; im Alter werden sie rotbraunfleckig. Sie sind angeheftet.

Der volle, später etwas hohle Stiel wird 5—11, zuweilen bis 14 cm hoch und 1—3 cm dick. Er ist jung weiß, bauchig oder tegelförmig; bald wird er, nament= lich an den Stellen, an denen er angefaßt ist, rötlich und streckt sich walzig. Er trägt einen großen, weißen, zarthäutigen, hängenden Ring; die Ringhaut, die dem oberen Stielende angewachsen ist, erscheint fein liniiert (vgl. S. 63). Am Grunde endet der Stiel, der oft etwas schuppig ist, in eine unten zugespitzte Knolle, die mit dem zerschlitzten, undeutlichen Reste der äußeren Hülle (Wulst= scheide) locker verwachsen ist.

Geruch und Geschmack sind mild, der Nachgeschmack etwas widerlich zusammen= ziehend oder kratzend.

Der Pilz wächst vom Juli bis Anfang Oktober sehr häufig in Wäldern, be= sonders in Nadelholzbeständen, auf lockerem Humus, in Heidewäldern und Gebüschen und tritt oft herdenweis auf.

Der Perlpilz, der in der älteren Pilzliteratur als giftig galt, ist ein guter, sehr ergiebiger Speisepilz. Er kommt in Süddeutschland nicht selten auf den Pilz= markt, ist auch in Frankreich („Golmotte") und England als Speisepilz beliebt. Gebraten entwickelt er einen kräftigen Duft und eigenen Geschmack, den manche recht gut, andere — des intensiven Geruchs wegen — etwas widerlich finden. Auch zum Einmachen in gesüßtem Essig sowie zu Pilzertrakt (vgl. Bd. II, S. 95) eignet sich der Perlpilz vortrefflich, aber nicht zum Trocknen. Leider wird er häufig durch Insekten zerstört. Die unappetitliche Oberhaut ist vor der Zu= bereitung zu entfernen. Sie wird von manchen für giftig gehalten, doch sind Beweise dafür bisher noch nicht erbracht.

Ähnlich: Derblichene Fliegenpilze! — Der giftige Königs=Fliegenpilz (A. re= gális Fr.), vgl. nächste S. — Der Pantherpilz (A. pantherina). Hut dunkelbraun oder graubraun. Fleisch, Blätter und Stiel weiß, nicht rötlich werdend.

Perlpilz, Amanita rubescens. Eßbar (ohne Oberhaut).

Quelle & Meyer in Leipzig

Pantherpilz.
Panther-Wulftling.

Amanita pantherina DC. (Mit Einschluß von A. pantherina Fr. und A. umbrina Pers.)

Der stattliche Pantherpilz hat einen mattglänzenden, umbra-, leder- oder graubraunen Hut von 6—15 cm Breite. Der Rand ist meist gefurcht und die abziehbare Oberhaut mit ziemlich regelmäßig angeordneten weißen, mehligen Warzen (vgl. vor. S.) besetzt und dadurch pantherartig gefleckt; sie fühlt sich bei feuchtem Wetter klebrig an.

Das weiche Fleisch ist unveränderlich weiß, auch unter der Oberhaut, und ziemlich dick.

Die dichtstehenden Blätter sind gleichfalls weiß und stehen frei; sie laufen scheinbar strichförmig am Stiele herab. Die feinen Riefen, die vom Lamellen-ansatz bis zum Ring gehen, sind jedoch nur die Eindrücke der Lamellenränder, die bei geschlossenem Hut den Stiel oder vielmehr die innere Hüllhaut berührten, die dem Stiele fest anliegt. Der Ansatz der Blätter an den Stiel ist, wie bei allen Amanita-Arten, sehr gleichmäßig, wie abgeschnitten.

Der derbe, weiße Stiel ist jung voll, dann hohl und wird bei einer Höhe von 10 cm 1½ bis 3 cm dick. Er trägt einen dünnhäutigen, oft schiefsitzenden Ring und am Grunde eine fast knollige Knolle, die mit einer lose verwachsenen, abziehbaren, weißlichen oder bräunlichen Haut, der äußern Hülle (Wulstscheide), umgeben ist. Diese weist gewöhnlich einen ziemlich freistehenden, stumpfen Rand auf.

Der Pantherpilz duftet und schmeckt süßlich-fade; der Nachgeschmack ist wenig angenehm.

Er wächst im Sommer und Herbst nicht selten in Wäldern, besonders in Nadel-holzbeständen und in Gebirgsgegenden.

Er ist ein guter Speisepilz und kann wie der Perlpilz verwendet werden. Die unappetitliche Oberhaut ist zu entfernen. Früher wurde der Panther-pilz allgemein als giftig angesehen. Nach R. Böhm soll er mitunter das giftige Muskarin enthalten. Es ist vielleicht nicht ausgeschlossen, daß es in der Oberhaut steckt. Dem Sammler ist größte Vorsicht anzuraten, da dieser Pilz leicht mit dem giftigen Königs-Fliegenpilz und anderen ungenießbaren oder giftverdächtigen Amanita-Arten zu verwechseln ist.

Ähnlich sind: Der Königs-Fliegenpilz (A. regalis Fr.). Er ist eine in der Farbe abweichende Form des Fliegenpilzes. Hut leberbraun, rotbraun oder gelbbraun, mit weißen oder graugelben Flocken und Warzen, bis 20 cm breit. Fleisch weiß, unter der Oberhaut gelb, wie beim Fliegenpilz. Stiel (auch innen) und Ring gelblich. Knolle mit mehreren Ringwülsten. Selten vorkommend. Giftig. — Der Perlpilz (A. rubescens). Hut graurötlich, braunrötlich, blaßrosa. Fleisch, Lamellen und Stiel jung weiß, bald rötlich werdend, besonders beim Zerbrechen und bei Druck.

Pantherpilz, Amanita pantherina. Eßbar (ohne Oberhaut).

Quelle & Meyer in Leipzig

Fliegenpilz.

Amaníta muscária L.

Der bekannte prächtige Fliegenpilz, der zu den schönsten Zierden unserer Wälder gehört, hat einen leuchtend scharlachroten oder feuerroten, zuweilen auch gelbroten und verblassenden Hut, der eine Breite von 8—20 cm erreicht. Der junge Pilz bildet eine weißliche Knolle; sein Stiel ist in diesem Zustande dicker als der Hut (ähnlich beim lila Dickfuß, Steinpilz, den Schirm= und Knollen= blätterpilzen). Der Fliegenpilz ist anfangs von einer äußeren, weißen, am Scheitel warzigen Hüllhaut umschlossen, die bei weiterem Wachstum platzt und in flockigen Fetzen oder dicken Warzen auf der klebrigen, roten Ober= haut des Hutes haften bleibt, nicht selten aber auch durch Regengüsse abgespült wird. Der Rand ist gewöhnlich gestrichelt.

Das weiße, zarte Fleisch ist unter der abziehbaren Oberhaut gelb oder rotgelb. Die frei stehenden, weißen oder etwas gelblichen Lamellen sind breit und bauchig, die Sporen weiß.

Der weiße Stiel wird 8—20, zuweilen gar bis 25 cm hoch und 1½—3 cm stark; er ist oben meist fein gerieft (ebenso bei den verwandten Arten S. 61—63). Jung ist er voll, später meist hohl und mit einem weißen oder gelblichen, dünnen, hängenden Ring versehen. Dieser ist der Überrest der inneren Hülle, die die Blätter des jungen Hutes schützte. Unten verdickt sich der Stiel zu einer eiförmigen oder kugligen Knolle. Sie ist mit den Resten der äußeren Hülle verwachsen, die sie als schuppige, oft unterbrochene Ringe umschließen. Geruch und Geschmack sind angenehm, der Nachgeschmack etwas widerlich.

Der schöne Pilz ist im Sommer und Herbst gemein in lichten Wäldern, be= sonders in Nadelwäldern, in Birkengehölzen, Gebüschen, auf Heiden und geht im Hochgebirge bis zur Baumgrenze empor. Er ist, den verschiedenen Stand= orten entsprechend, sehr veränderlich.

Der Fliegenpilz ist schon seit dem Altertum allgemein als Giftpilz bekannt, gilt auch wohl im Volke als der giftigste aller Pilze. Es sind mehrfach schwere, aber sehr selten tödliche Vergiftungen durch ihn festgestellt worden (vgl. den in Bd. II, S. 74 geschilderten Krankheitsverlauf!); doch ist der Fliegenpilz viel weniger gefährlich als seine Verwandten, die Knollenblätterpilze. Seine Giftwirkung ist weit schwächer, ja sie fehlt bei diesem rätselhaften Pilz mitunter ganz[1]; außerdem kann er, wenigstens in Nord= und Mitteleuropa, kaum mit einem andern Pilz verwechselt werden. Er enthält — außer anderen Giften — das sehr giftige Muskarin (vgl. Bd. II, S. 62). Die Erkrankung tritt nach dem Genuß von Fliegenpilzen meist mit großer Schnelligkeit ein (anders bei den Knollenblätterpilzen!). Manche nordasiatische Völker versetzen sich durch den Genuß getrockneter Fliegenpilze[2] in einen rauschartigen Zustand. Mitunter wird der Pilz zum Vergiften von Fliegen benutzt, indem man ihn in Milch legt oder darin kocht.

Ähnlich: Der Kaiserling (A. caesárea Scop.). Blätter, Fleisch, Stiel und Ring gelb. Hut orangerot oder goldgelb, mit wenigen, großen Hüllfetzen. Stiel am Grunde mit großer Scheide. Ausgezeichneter Speisepilz. Nur in Südeuropa und (selten) in Süddeutschland. — Der Königs=Fliegenpilz (A. regalis), s. S. 63.

[1] Vgl. die in Bd. II, S. 71 angeführten Tatsachen.
[2] Der nordische Fliegenpilz unterscheidet sich jedoch (nach R. Kobert) von dem bei uns wachsenden bezüglich seiner Giftwirkung sehr erheblich.

Fliegenpilz, Amanita muscaria. Giftig.

Quelle & Meyer in Leipzig

Gelblicher Knollenblätterpilz.

Gift-Wulstling. Knollenschwamm.

Amaníta máppa Batsch. (A. citrína Schäff. — Eingeschlossen ist auch der Sammelname A. bulbósa Bull.).

Dieser Pilz gehört nebst dem grünen und dem Frühlings-Knollenblätter-pilz (S. 66) zu den weitaus gefährlichsten aller Giftpilze. Er bricht wie der Fliegenpilz als eiförmige Knolle aus dem Waldboden hervor und ist von einer weißen, äußeren Hüllhaut umschlossen. Der mit mehligen Warzen und Hautflocken besetzte Hut ist noch wenig von dem ihn an Dicke über-treffenden, knolligen Stiele abgesetzt. Nachdem dieser sich gestreckt hat, wird der Hut tuglig glockig oder fast kegelförmig und schließlich flach; er erreicht eine Breite von 5—9 cm. Seine Färbung ist gelblich, gelbgrünlich oder weißgelb, oft mit dunklerer Mitte. Er ist meist mit weißlichen oder gelblichen, leicht abwischbaren Warzen und Fetzen der äußeren Hülle bedeckt, die indes auch vom Regen abgewaschen sein können. Jung und bei feuchtem Wetter ist der Hut tlebrig, trocken schwach seidenglänzend. Die dünne Oberhaut läßt sich leicht abziehen. Das weiche, dünne Fleisch sieht weiß aus. — Die dichtgereihten, weißen Blätter stehen frei; sie setzen sich völlig gleichmäßig, förmlich wie abge-schnitten, an den Stiel an. Die Sporen (vgl. die Abb. in Bd. II, S. 57) sind weiß.

Der weiße oder weißgelbe, schlanke, biegsame Stiel wird 6—10 cm hoch und 1—1½ cm dick. Er ist zuerst voll, später oben hohl und trägt über der Mitte als den Rest der inneren Hülle einen dünnen, weißgelblichen, leicht vergänglichen Hautring, der so zart ist, daß er bei Berührung oft am Finger hängen bleibt. Unten endet der Stiel in eine dicke, tuglige, umrandete Knolle (Name!), die wenig oder gar keine scheidenartigen Überreste der äußeren Hüllhaut aufweist.

Der gelbliche Knollenblätterpilz riecht unangenehm, ähnlich wie die Triebe überwinterter Kartoffeln, schmeckt jedoch mild. — Im Sommer und Herbst ist er sehr häufig und oft truppweise in Laub-, Nadelwäldern und Gebüschen anzutreffen.

Dieser Pilz wirkt, wie durch zahlreiche Vergiftungsfälle[1] nachgewiesen ist, meist tödlich. Schon 2—3 Exemplare, die der Sammler irrtümlich den Speisepilzen beimischt, sind (nach W. Ford, 1910) hinreichend, einen Menschen zu töten. (Vgl. die Besprechung der verschiedenen Gifte in den Knollenblätterpilzen in Bd. II, S. 62, sowie die Beschreibung des Krankheitsverlaufes, Bd. II, S. 71.) Auch ärztliche Hilfe vermag bei Vergiftungen durch diesen Pilz nur wenig aus-zurichten, da die Erkrankung auffallenderweise erst 10—30 Stunden nach dem Genuß eintritt, in welcher Zeit das Gift bereits ins Blut übergetreten ist. Man sollte, wie man den Kreuzottern zu Leibe geht, auch die Knollenblätterpilze, wo man sie nur antrifft, stets zerstören, stets den Sporenausfall zu verhüten.

Jung ist ihm der Schaf-Champignon (Psalliota arvensis) sehr ähnlich, der an demselben Standort wächst, sowie der Feld-Champignon (P. campestris). Vgl. die Merkmale in der vergleichenden Übersicht Bd. II, S. 72.

[1] So starben z. B. im Jahre 1908 bei Guhrau (Schlesien) 9 russische Arbeiter, die den gelblichen Knollenblätterpilz mit dem Champignon verwechselt hatten; ferner 11 Kinder in einem französischen Waisenhaus. — 1909 verstarben (nach E. Werdenbach, in der Zeitschr. Der Pilzfreund) bei Monza in Oberitalien nach dem Genuß von Frühlings-Knollenblätter-pilzen 12 Personen. Die Verstorbenen hatten die Pilze für eßbar gehalten, da ein mit-gekochtes Silberstück blank geblieben war! — Im Jahre 1910 erfolgten (nach J. Rothmayr, Luzern) in Deutschland und der Schweiz durch Knollenblätterpilze 19 Todesfälle.

Gelblicher Knollenblätterpilz, Amanita mappa. Sehr giftig.

Quelle & Meyer in Leipzig

Grüner Knollenblätterpilz.[1]

Gift-Grünling.

Amaníta phalloídes Fr. (A. víridis Pers. — Mit Einschluß des Sammelnamens A. bulbósa Bull.).

Der Hut dieser größeren Knollenblätterpilz-Art ist olivgrün, geht aber auch ins Grau-, Gelb- oder Braungrüne über, ist dunkler gestrichelt und in der Mitte meist dunkler gefärbt als am Rande; er wird 6—12 cm breit. Die abziehbare Oberhaut erscheint nur bei jungen Exemplaren mit Fetzen der weißen, äußeren Hüllhaut bekleidet, die den Pilz in der Jugend ganz umschloß, hat keine Warzen und wird bald völlig kahl. Sie ist bei feuchtem Wetter klebrig; trocken wird sie matt oder etwas glänzend und feinfasrig.

Die weißen, freistehenden Blätter sind oft schwach grünlich. Ihr Ansatz am Stiele ist gleichmäßig angeordnet.

Der weiße, biegsame Stiel ist meist mit blaßgrünen Flecken oder flockigen Schüppchen versehen und trägt am Grunde eine dauerhafte, weit abstehende, weißhäutige Wulstscheide, die die dicke Knolle umkleidet und auch an älteren Pilzen gewöhnlich noch deutlich zu sehen ist. Oben, über dem zarthäutigen, weißen Ring ist der Stiel wie bei allen Amanita-Arten fein eingedrückt liniiert; er wird 6—12 cm hoch und ist im Alter oben hohl.

Der Geruch ist schwach süßlich und erinnert gar nicht an den des gelblichen Knollenblätterpilzes; der Geschmack ist unbedeutend.

Dieser Knollenblätterpilz wächst vorwiegend in Laubwäldern und Gebüschen, in denen er nicht selten im Sommer und Herbst zu finden ist; seltener kommt er in gemischten und Nadelwäldern vor. Er findet sich namentlich am Rande der Gehölze und verschwindet meist schon Ende September.

Der grüne Knollenblätterpilz ist wohl ebenso giftig wie der gelbliche und der Frühlings-Knollenblätterpilz. Er ist jedoch weniger gefährlich, da wegen seiner grünlichen Farbe Verwechslungen mit Champignons kaum vorkommen.

Ein dritter Knollenblätterpilz, der Frühlings- oder weiße Knollenblätterpilz (A. verna Bull.), der bereits im Frühling und Sommer in Wäldern gedeiht, ist besonders gefährlich, da er oft mit dem Schaf-Champignon (Psalliota arvensis) verwechselt wird. Sein Hut ist weiß, meist kahl. Blätter weiß, frei. Stiel knollig, mit ziemlich großer, häutiger Scheide. Geruch schwach, unangenehm. Er ist seltner.

[1] Die Teilung des früher als einheitliche Art aufgefaßten Knollenblätterpilzes in drei Arten geschah im Einverständnis mit den namhaften Pilzforschern G. Bresadola, F. v. Höhnel, A. Riden, F. Ludwig und O. Jaap.

Grüner Knollenblätterpilz, Amanita phalloides. Sehr giftig.

Quelle & Meyer in Leipzig

Verzeichnis.

Die *schräggedruckten* Namen bezeichnen nicht abgebildete Pilze.
Die Ziffern bedeuten die Seiten, bezw. die Tafeln.

A. Deutsche Namen.

Gramberg, Pilze der Heimat I.

B. Lateinische Namen.

Издание напечатано по технологии
Print-on-Demand (печать по требованию)
в одном экземпляре, по индивидуальному заказу.